G000257769

Argraffiad cyntaf: Mehefin 2001

Comisiynwyd y gyfrol gyda chymorth ariannol Awdurdod Cymwysterau,
Cwricwlwm ac Asesu Cymru.

Rhif Llyfr Safonol Rhyngwladol: 0 86243 570 6

Dylunio a Chyfarwyddo Celf: Marian Delyth

Argraffwyd a chyhoeddwyd yng Nghymru gan
Y Lolfa Cyf., Tal-y-bont, Ceredigion SA24 5AP
e-bost ylolfa@ylolfa.com
y we www.ylolfa.com
ffôn (01970) 832 304
ffacs 832 782
isdn 832 813

CERDDI POETH AC OER

Golygydd **Non ap Emlyn**

Dylunio a Chyfarwyddo Celf **Marian Delyth**

y Lolfa

Cynnwys

I Manon a Lleuwen

Cyflwyniad

Mae'r gyfrol yma'n boeth!

Mae hi'n cynnwys bron gant o gerddi ar themâu gwahanol – themâu fel cariad, bywyd modern, teuluoedd – a llawer iawn mwy. Mae'r cerddi yma'n llawn emosiwn a phrofiadau diddorol. Mae hi'n gyfrol bositif, gyffrous gyda llawer o gerddi ysgafn.

Mae'r lluniau'n gyffrous ac yn llawn emosiwn a phrofiadau hefyd. Maen nhw'n eich helpu chi i ddeall y cerddi. Mae rhai'n gwneud i chi wenu. Mae rhai'n rhoi dimensiwn arall i gerdd ac mae rhai'n cynnwys stori ynddyn nhw eu hunain.

Ydy wir, mae hi'n gyfrol boeth! Mwynhewch!

Diolch
Diolch i'r canlynol am eu cymorth gwerthfawr:
Rhian Pritchard, Ysgol Uwchradd Caergybi; Claire Davis, Ysgol Gyfun Y Coed Duon;
Meryl Hendry, Ysgol Gyfun Gellifedw; Trefor Lewis a Shoned Wyn Jones.

Diolch hefyd i'r ysgolion sy wedi bod yn treialu'r gwaith, sef:
Ysgol Gyfun Pentrehafod, Abertawe; Ysgol Penglais, Aberystwyth; Ysgol Gyfun Martin Sant, Caerffili; Ysgol Uwchradd Aberteifi.

Diolch i Marian Delyth am ddylunio'r gyfrol.

Diolch i Wasg y Lolfa am y gwahoddiad i olygu'r gyfrol ac iddyn nhw a staff ACCAC am eu cefnogaeth.

Non ap Emlyn
Haf 2001

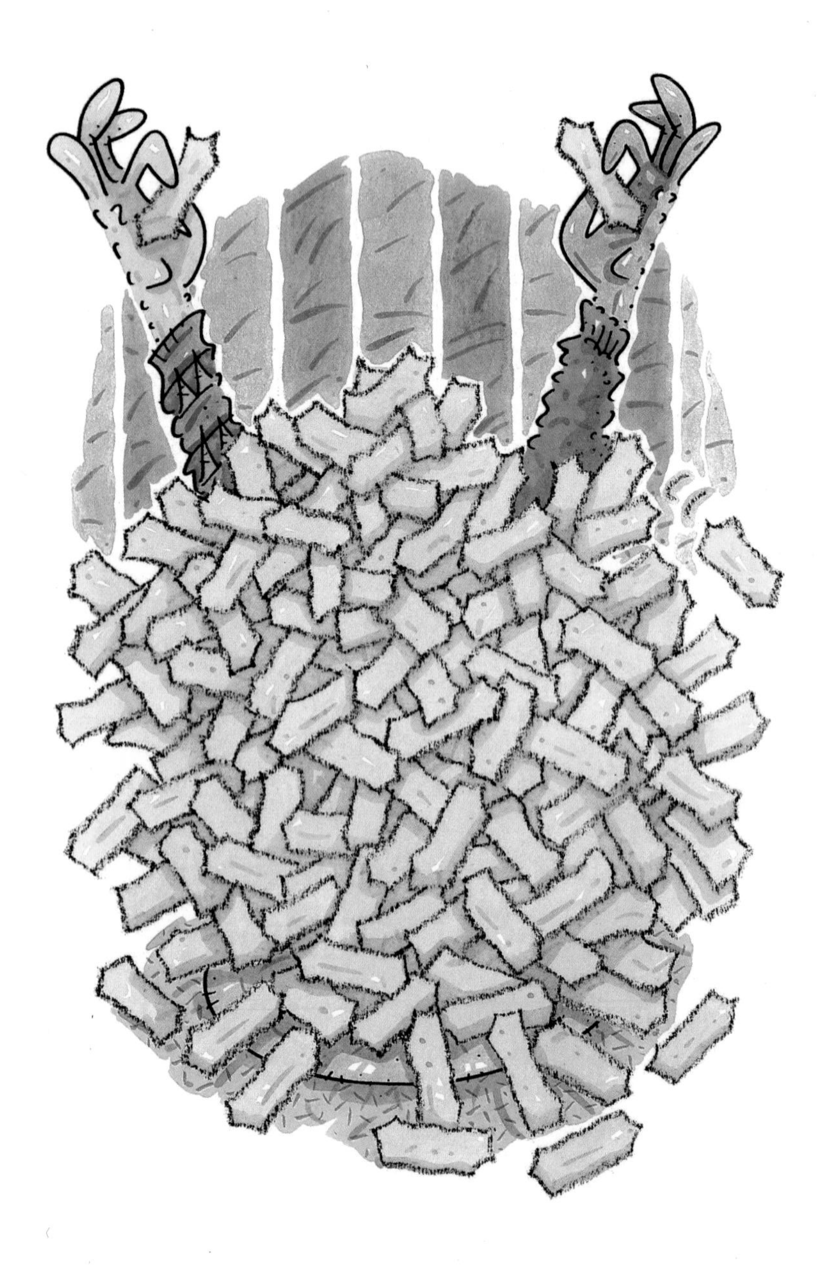

Sglodion di-ri

SGLODION di-ri,
Sglodion di-ri,
Sglodion di-ri,
I Mali a mi.

Mi glywais fod Beti
Yn bwyta sbageti.

Mi glywais fod Tanya
Yn bwyta *lasagne*.

Mi glywais fod Otto
Yn bwyta risotto.

Mi glywais fod Moli
Yn bwyta ravioli.

OND:
Sglodion di-ri,
Sglodion di-ri,
Sglodion di-ri,
I Mali a mi.

Beryl Steeden Jones

sglodion di-ri – *loads of chips*
mi glywais fod – *I heard that*

Sam a'i fam

MAM!
Ia, Sam?
Jam, plîs!
Pam?
A ham!
Pam?
A spam!
Pam, Sam?
Am fod
Sam bron â llwgu!
Dyna pam,
Mam Sam.

Hywel Wyn Owen

Hoff ddiod

Mae Mam yn hoffi coffi
a Dad yn hoffi te,
ond gwell gen i a Branwen
gael Coke o'r Têc-awê.

Margiad Roberts

am fod – *because*
bron â llwgu – *starving*

gwell gen i = mae'n well gen i / mae'n well 'da fi – *I prefer*

Bwyd od!

Dwi ddim yn hoffi bwydydd od
o wledydd pell y byd,
Mae'n well gen i sbageti gwyn
a *bolognaise* yn bryd.

A phwy 'sa'n bwyta malwod tew
neu goesau llyffant bach?
Fe gaf i *coq au vin* o Spar
a sudd pinafal iach.

Bydd Dad yn iwsio *chopsticks* pren
i fwyta *chow mein* porc.
Bydd bwyd 'di mynd ar hyd y llawr
cyn iddo godi'i fforc!

Mae Mam yn hoffi *Bombay duck* –
mae'n dweud bod *naan* yn neis,
Ond gwell gen i gig oen Cymreig
mewn cyrri gyda reis.

Rhowch fwyd Cymreig i mi bob tro –
ni chewch chi ddim byd gwell;
Pwy sydd angen bwyta'n od
fel yn y gwledydd pell?

Carys Jones

bwyd,-ydd – *food,-s* • gwlad, gwledydd – *country, countries* • yn bryd – *as a meal* • pwy 'sa'n bwyta? – *who would eat?*
malwod – *snails* • coesau llyffant – *frogs legs* • fe gaf i = fe ga i – *I'll have* • sudd pinafal – *pineapple juice* • iach – *healthy*
iwsio = defnyddio – *to use* • pren – *wooden* • ar hyd y llawr – *all over the floor* • bob tro – *every time*
ni chewch chi – *you won't have* • pwy sydd angen? – *who needs?*

Bwyta'n iach

Mae Nain yn dweud o hyd,
'Rhaid bwyta pethau sy'n
Llawn maeth, er mwyn iti
Gael tyfu'n fachgen cry.
Bresych a bara, moron a ffa,
Pysgod a ffrwythau. Rhain sy'n dda!
Cig ac uwd a chreision ŷd.
Rhain yw bwydydd iacha'r byd!'

Ond mae'n well gen i...

Chop suey a *chips*, Pepsi a pizza,
Byrgar a chyrri, kebabs a samosa,
Pasta a popcorn, tandwri a Twix,
Lemonêd a *lasagne*, Pick-and-Mix,
Pot nwdls, Penguins a hufen iâ.
Bwydydd ffantastig! Rhain sy'n dda!

Zohrah Evans

o hyd – *still*
llawn maeth – *full of nourishment*
er mwyn iti – *so that you*
cry = cryf – *strong*
(y) rhain – *these*
iacha(f) – *healthiest*
byd – *world*

Bwyd cyflym: happy meal?

Tu allan i'r ddinas
mewn ardal reit ddiflas mae bwyty;
yn agos at gylchfan
sy'n agos i bobman, mae'n gwenu
wrth fwydo miliynau
â *fries* a phaneidiau heb gysgu.

Ar ambell i ddiwrnod
mae yno gyfarfod rhieni:
daw tad fel dieithryn
a mam gyda'i phlentyn i rannu
rhyw awr ar benwythnos,
â bwyd na chaiff gyfle i oeri.

Mae'r fam mor anhapus
a'i dwylo'n rhy nerfus i dalu,
a'r tad yno'n eistedd
gan gnoi ei ewinedd wrth holi
y bachgen sy'n bwyta –
y byrger mewn bara'n ei lenwi.

Ond wedi'r pryd parod
mae'r sgwrs fel eu diod yn sychu,
eu dannedd sy'n blino
ar wenu a sgwrsio heb dorri,
a'r tegan bach hwylus
i'w gadw e'n hapus sy'n methu.

Ar ôl y gwasanaeth
rhaid cychwyn eu hir-daith a rhannu,
y bachgen a'i degan
a'r fam wrth ei hunan sy'n gyrru
i ganol y ddinas,
i gartref reit ddiflas y teulu.

Gwion Hallam

bwyty = tŷ bwyta – *restaurant* • cylchfan – *roundabout* • bobman – *everywhere* • daw tad – *a father comes* • dieithryn – *stranger*
rhannu – *to share, to divide, to separate* • na chaiff gyfle i oeri – *which doesn't have a chance to get cold* • cnoi ei ewinedd – *to bite his nails*
pryd parod – *ready meal* • sychu – *to dry* • heb dorri – *without a break* • hwylus – *convenient* • methu – *to fail*
gwasanaeth – *service* • hir-daith – *long journey*

Roedd dyn bach yn byw yn Hong Kong
oedd yn hoff iawn o chwarae ping-pong.
Doedd ganddo fo'm bat
na phêl, *come to that*:
Deud y gwir roedd o'n chwarae fo'n rong.

Geraint Løvgreen

Aeth hogyn o bentre bach Plwmp
I seiclo, ond collodd ei bwmp;
Wrth frêcio i'w nôl o
Aeth bws i'w ben-ôl o;
Pan gododd, roedd ganddo fo lwmp.

Myrddin ap Dafydd

doedd ganddo fo'm = doedd ganddo fo ddim – *he didn't have*
deud y gwir – *to tell the truth*

i'w nôl o – *to fetch it*
i'w ben-ôl o – *into his backside*

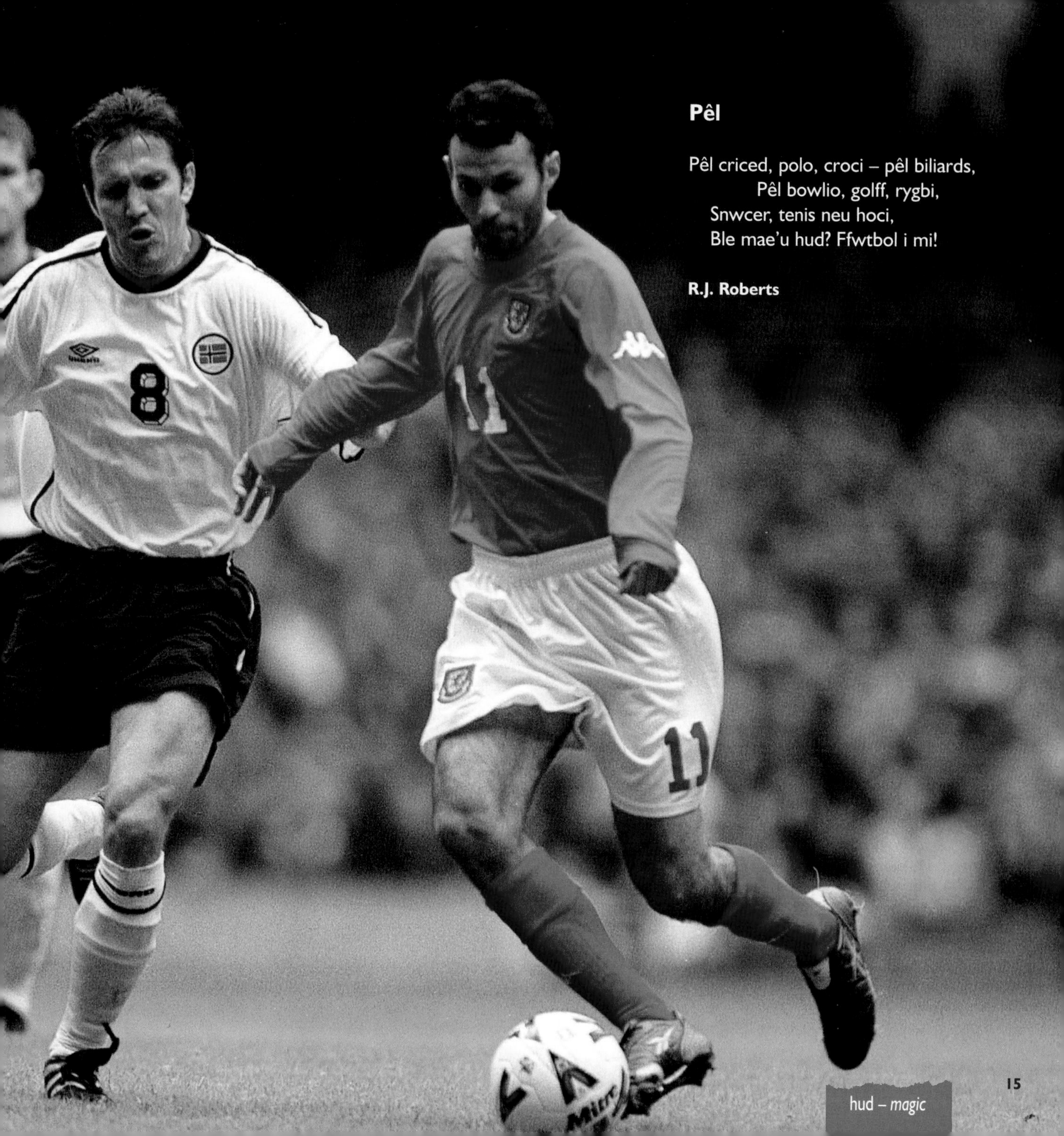

Pêl

Pêl criced, polo, croci – pêl biliards,
Pêl bowlio, golff, rygbi,
Snwcer, tenis neu hoci,
Ble mae'u hud? Ffwtbol i mi!

R.J. Roberts

hud – *magic*

Yr anrheg

Edrychais,
sefais yn syn
i edrych ar y parsel anferth –
yr Wy Pasg enfawr,
yn sefyll ar y bwrdd.
O'r ŵy daeth sŵn –
sŵn twitian.
Rhwygais y papur
lliwgar.
Yna gwelais
fwji!
O mi roedd yn hardd,
fel dŵr y môr
ac ewyn yn smotiau
arno.
Edrychodd arnaf
gyda'i lygaid gleision
fel cyrens
a'i big oren pur.
Dawnsiai o gwmpas
fel petai rhywun
wedi clymu colsyn poeth
am ei draed.
Hwn –
Yr anrheg orau erioed
y bwji glas a gwyn
y Sboncyn
hwn!

Manon Roberts

yn syn – *amazed*
anferth – *huge*
enfawr – *huge*
rhwygais – *I tore*
ewyn – *foam*
smotiau – *spots*
gleision – *blue*
clymu – *to tie*
colsyn – *ember*

Coch

Coch ydi peryg
Ar liwiau traffig.

Coch ydi fflag
Sy'n ein cadw ni rhag
Syrthio i dyllau'n y ffordd.

Coch ydi'r arwydd
Pan fydd hi'n ormod o dywydd
I ni fynd i'r môr i nofio.

Coch ydi lliw peryg.

Ond clamp o ddu oedd o
A hwnnw yn rhuo
A chreu twrw wrth ruthro.
Y tarw garw croch
A drïodd fy nhwlcio.

Yn wir mi fuasai'n ffitiach iddo –
Y tarw garw croch –
Gael ei beintio i gyd yn goch.

Gwyn Thomas

peryg – *danger* • sy'n ein cadw ni rhag – *which keeps us from*
tyllau – *holes* • arwydd – *sign*
pan fydd hi'n ormod o dywydd – *when the weather's too bad*
clamp – *lump, mass* • rhuo – *to roar*
creu twrw – *to roar, make a lot of noise* • rhuthro – *to rush*
garw – *rough* • croch – *loud* • twlcio – *to butt*
mi fuasai'n ffitiach – *it would be more appropriate*

Hwrdd yr Hafod

Hwrdd yr Hafod yn gweld y ffens –
'Dim sens
Mewn ffens!'

Hwrdd yr Hafod yn cerdded y ffens –
'Pa sens
Mewn ffens?'

Hwrdd yr Hafod yn neidio'r ffens...
Dim hwrdd!
Dim ffens!

Dorothy Jones

Y cangarŵ a'i gyfeillion

Glywsoch chi am gangarŵ
Oedd yn gyrru Subaru?
Yn lle pasio ceir mewn helynt
Byddai ef yn neidio drostynt!

Llion Jones

hwrdd – *ram*

glywsoch chi? – *did you hear?*
yn lle – *instead of*
mewn helynt – *in trouble*
drostynt – *over them*

popio – *to pop (= to put)*
y Parchedig – *the Reverend*
popty ping – *microwave oven*

Ping

Popiodd
Y Parchedig
Penri
Pappington-Puw
Pepi
Y pwdl
Yn y popty-ping –

Ond
Pan aeth y popty
Ping-pinciti-ping-ping-ping
Roedd
Pepi
Y pwdl yn
… Saws

Mihangel Morgan

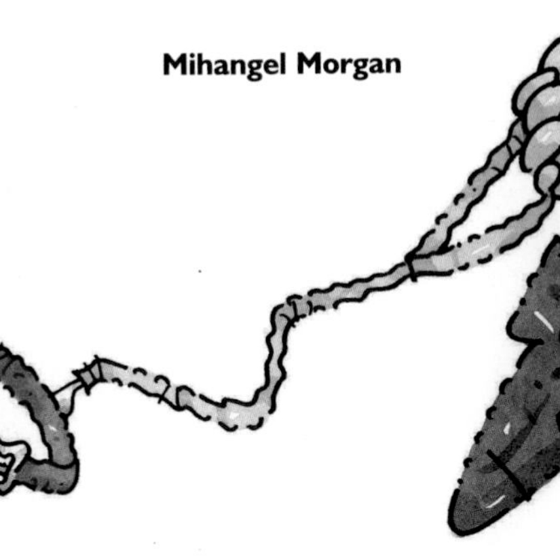

Poli, ble mae dy gaets di?

If we have come to think that the nursery and the kitchen are the natural sphere of woman, we have done so exactly as English children come to think that a cage is the natural sphere of the parrot because they have never seen one anywhere else.

George Bernard Shaw

Poli yn y gaets
a mam yn y gegin
yn berwi cawl cig mochyn
a Deio yn cael napyn.

Rhyw ddydd
daeth Poli allan
a safodd ar bolyn telegraff
a dywedodd pawb:

"Poli, beth wyt ti'n neud fan'na?
Mae dy gaets di'n wag
hebot."

Gwylltiodd Poli a dweud
'Rwy am weld y byd
a gall parot hedfan hefyd.'

Yn y cyfamser
gadawodd mam y cawl i ferwi'n sych.

Menna Elfyn

caets – *cage* • napyn – *a nap* • safodd – *he stood* • gwag – *empty* • hebot – *without you*
gwylltiodd Poli – *Poli became angry* • gall parot hedfan – *a parrot can fly* • yn y cyfamser – *in the meantime*
gadawodd mam... – *mum left...* • berwi'n sych – *to boil dry*

Hoffi'r ysgol? Ydw... ond...

Ydw, dwi'n hoffi'r ysgol,
Ac mae Mrs Jones yn grêt;
Mae'r cinio yn ardderchog,
O oes – mae gen i sawl mêt.

Dwi'n dda am sgwennu stori,
Tydi'r Saesneg ddim yn ffôl;
Pan ddaw hi'n bnawn chwaraeon,
Rwy'n ddiguro yn y gôl!

Ond O! mae gen i broblem
Sydd yn boen bob bore Llun!
'Rhen symiau pen yw'r rheiny –
Maen nhw bron â drysu dyn!

'Un afal am ddeg ceiniog,
Sawl ceiniog raid roi am dri?'
Bydd pawb â'u dwylo i fyny
Mewn chwinciad – pawb ond fi.

... Pan fyddaf yn sgwad Cymru
Yn ennill Cwpan y Byd,
Dim ots am bris tri afal –
Mi bryna i'r siop i gyd!

Dorothy Jones

sgwennu = ysgrifennu – *to write* • ddim yn ffôl – *not bad* • diguro – *unbeatable* • symiau pen – *mental maths* • rheiny – *those*
bron â drysu dyn – *enough to confuse one* • mewn chwinciad – *in an instant* • pan fyddaf – *when I'm (lit. when I'll be)*
mi bryna i – *I'll buy*

Seibr Ofod

'Mae 'ngwaith cartref i
ar goll
yn Seibr Ofod,
Syr.'

Dim esgusion diniwed mwyach;
ddim dan y gath,
ddim wrth wely
y rhiant â'r haint,
ddim wrth arhosfan bws
yn chwifio yn y corwynt,
ddim wedi ei gipio
gan Ffantom-gipiwr Gwaith Cartref.

Ond bellach
mae'n cael taith anturus
am ddim
o amgylch
y We –

Awê!

Aled Lewis Evans

seibr ofod – *cyber space* • ar goll – *lost* • esgusion – *excuses* • diniwed – *innocent* • mwyach – *from now on* • rhiant – *parent*
haint – *disease* • yn chwifio – *fluttering* • corwynt – *whirlwind, hurricane* • cipio – *to snatch* • Ffantom-gipiwr – *Phantom snatcher*
bellach – *from now on* • anturus – *adventurous* • y We – *the Web*

Blas ei thafod

Aeth Quentin am wersi Cymraeg
er mwyn gallu deall ei wraig,
      ond nawr wedi dysgu
      mae'n dechrau difaru,
'r ôl blasu o dafod y ddraig!

Gwion Hallam

wedi dysgu – *having learnt*
difaru – *to regret*
'r ôl blasu – *after having a taste*
tafod y ddraig – *the dragon's tongue*

jo nainti

gormod o waith dosbarth
gormod o waith cartref

gwybod popeth am adar a llyfrau
a phwy oedd yn byw erstalwm

gwybod dim am bêl-droed a recordiau
a grwpiau sy'n fyw bob eiliad

chwerthin ar ei glyfrwch ei hun
gwgu ar 'y nghlyfrwch

dyna jo nainti i chi

dw i
ddim yn ei hoffi o

dydy o
ddim yn fy hoffi i

SNAP

'dyn ni'n dau'n
ddau debyg

ond ganddo fo
mae'r beiro coch

a'r hawl i 'nghadw i
ar ôl tan bump o'r gloch

Gwynne Williams

erstalwm – *a long time ago*
bob eiliad – *every second*
clyfrwch – *cleverness*
gwgu – *to frown*
tebyg – *similar*
yr hawl – *the right*

Cais i'r Prifathro

Plîs Syr, os oes gennych funud,
Fe hoffwn yngan gair;
Rwyf wedi cael syniad gwefreiddiol
I godi pres yn y ffair.

Rhyw feddwl oeddwn i –
Ac mae e'n syniad da,
Fe fydd pob un yn cyfrannu
Gan eu bod am waredu'r pla.

"Pa bla ydy hwn," ry'ch chi'n gofyn,
Wel, mi ddywedaf wrthych nawr –
Yr hyn sy'n poeni'r ysgol hon
Yw'r athrawon, nid haid o lygod mawr.

Yr hyn sydd gennyf mewn golwg,
Ac mi fyddai'n llwyddiant, rwy'n siwr,
Yw fod pawb yn talu deg ceiniog
I'w saethu efo pistol dŵr.

Yr athrawon Technoleg gaiff fynd ar y blaen
A'r athrawon Maths ar eu hôl,
Gwyddoniaeth wedyn, a Ffrangeg
Nes nad oes un sych ar ôl!

Diolch am eich cydweithrediad,
Rwy'n siwr y cytunwch â mi
Fod y syniad yn un ardderchog,
Ond cofiwch ac ystyriwch… cans athro ydych chi!

Elen Howells

yngan gair – *to say a word* • gwefreiddiol – *thrilling* • pres = arian – *money* • cyfrannu – *to contribute* • gwaredu – *to get rid of* • pla – *plague*
haid – *swarm* • mewn golwg – *in view* • llwyddiant – *success* • saethu – *to shoot* • gaiff fynd ar y blaen – *can go in the front*
nes nad oes – *until there isn't* • cydweithrediad – *co-operation* • y cytunwch – *that you'll agree* • ystyriwch – *consider* • cans – *because*

Diwrnod cynta

Nawr yw'r amser i benderfynu
os y'ch chi'n mynd i gymryd Celf neu Hanes
Daearyddiaeth neu Ffiseg
os y'ch chi'n mynd i fyta cinio ysgol neu ddod â brechdane
os y'ch chi'n mynd i fod yn arwr neu'n *dead loss*

os y'ch chi'n mynd i ddysgu'r ffidl, yr obo neu'r triongl
os y'ch chi'n hoffi Mulder yn well na Scully
Y Manics yn well na Steps
blows Ceri Price yn well na sgert Sioned Davies
merched yn well na bechgyn

os y'ch chi'n hoffi Miss Huws
neu jyst ddim cweit yn ei chasáu hi
os y'ch chi mewn cariad gyda Mr Bowen
neu jyst yn meddwl bod ei lygaid e fel siocled twym
os y'ch chi wir yn gallu ymdeimlo ag ing Blodeuwedd
os oes unrhyw bwynt mewn trio methu Maths
trwy guddio yn y gampfa

os y'ch chi'n siŵr mai astronôt y'ch chi moyn bod ar ôl i chi dyfu lan
os y'ch chi'n gwbwl hapus mai Ceri Price yw eich ffrind gore
os y'ch chi'n siŵr bod Dylan George mor *gorgeous* ag yr oedd e cyn iddo fe boeri yn eich sudd oren

Penderfynwch
chi sy'n gwybod orau
a dewch yn eich blaenau! Cyn i'r gloch ganu!

Elin ap Hywel

os y'ch chi = os ydych chi • arwr – *hero* • ei chasáu hi – *to hate her* • twym = poeth • ymdeimlo ag ing – *to feel the anguish*
methu – *to miss, to skip* • cuddio – *to hide* • campfa – *gym* • moyn = eisiau – *to want* • tyfu lan = tyfu i fyny – *to grow up*
poeri yn eich sudd oren – *to spit in your orange juice* • dewch yn eich blaenau – *come on*

Penderfyniadau

Penderfyniadau:
Pa wers?
Ble i eistedd?
Ble i fynd?
Y Ganolfan Hamdden neu'r dosbarth cofrestru?
Mynd i ginio neu gadw'r arian?
Penderfyniadau!

Pa fechgyn?
George neu Paul?
Fy nghymydog neu'r bachgen yn y siop?
Pa fechgyn?

Beth i ddewis?
Dy ffrindiau neu dy gariad?
Y cartef neu'r dref?
Sgert neu drowsus?
Gwyrdd neu goch?
Beth i ddewis?

Mae'n waith caled bod ym Mlwyddyn Deg!

Karinne Monday

penderfyniadau – *decisions*
cymydog – *neighbour*

Beth?

Pwy? Beth? Ble?
Pam? Pryd? Sut?
Dyna'r cwestiynau ar ddechrau Blwyddyn Deg.

Pwy fydd yr athrawon?
Pa bwnc sydd fwyaf defnyddiol?
Ble mae'r dosbarth cofrestru?

Pam rydw i yn unig?
Pryd bydd fy nghariad i'n dod?
Sut galla i ymdopi?

Dyna'r cwestiynau bydda i'n eu gofyn
ar ddechrau Blwyddyn Deg.

Emily Jones

mwyaf defnyddiol – *most useful*
unig – *lonely*
sut galla i – *how can I*
ymdopi – *to cope*

Llyncu mul

'Stopiwch ysgrifennu,
Papurau i mewn – distawrwydd!'
Mai, Mehefin, Gorffennaf –
Awst.
Gwyddoniaeth B
Mathemateg B
Saesneg, Cymraeg, Daearyddiaeth, Celf, Cerdd –
B
Llio a'i minlliw, A,
A serennog.
Delyth, Sioned, Huw, Gareth –
A serennog.
Cerdded, syllu,
  sefyll,
    meddwl,
      difaru,
        rhieni –
y teulu, gobeithion yn deilchion
ar lawr bywyd,
a minnau'n gorfod codi'r darnau
a'u gosod yn ôl yn eu llefydd.
Pa lefydd?
Lle Dafydd? Llio? Sioned?
Maen nhw yn eu lle –
i mi.

Claire Simpson

llyncu mul – *to pout* • minlliw – *lipstick* • A serennog = A* • syllu – *to stare* • difaru – *to regret* • yn deilchion – *shattered*
gosod yn ôl yn eu llefydd – *to put them back in their places*

Lliwiau

Palet amryliw
ar y ddesg o'm blaen.

Esgid o saffir mewn awyr glir
yw'r Eidal.
Awstralia
fel darn o'r haul melyn wedi rhedeg
ar dywod aur.
Gwlad yr Iâ yn berl wen yn y môr
a'r Affrig fel pen eliffant bron
gyda stribedi ifori.

Yn y gornel
welingtonsen ddu a'i phen i waered
yw Seland Newydd,
ac mae Iwerddon yn emrallt i gyd.

Ond mae un smotyn bach
fel ceg draig goch yn agor,
a'i liw megis gwaed –
Dyma Gymru.

Mae'r rhyfeddodau hyn i gyd
yn fy Atlas lliwgar i.

Ifan Gwilym

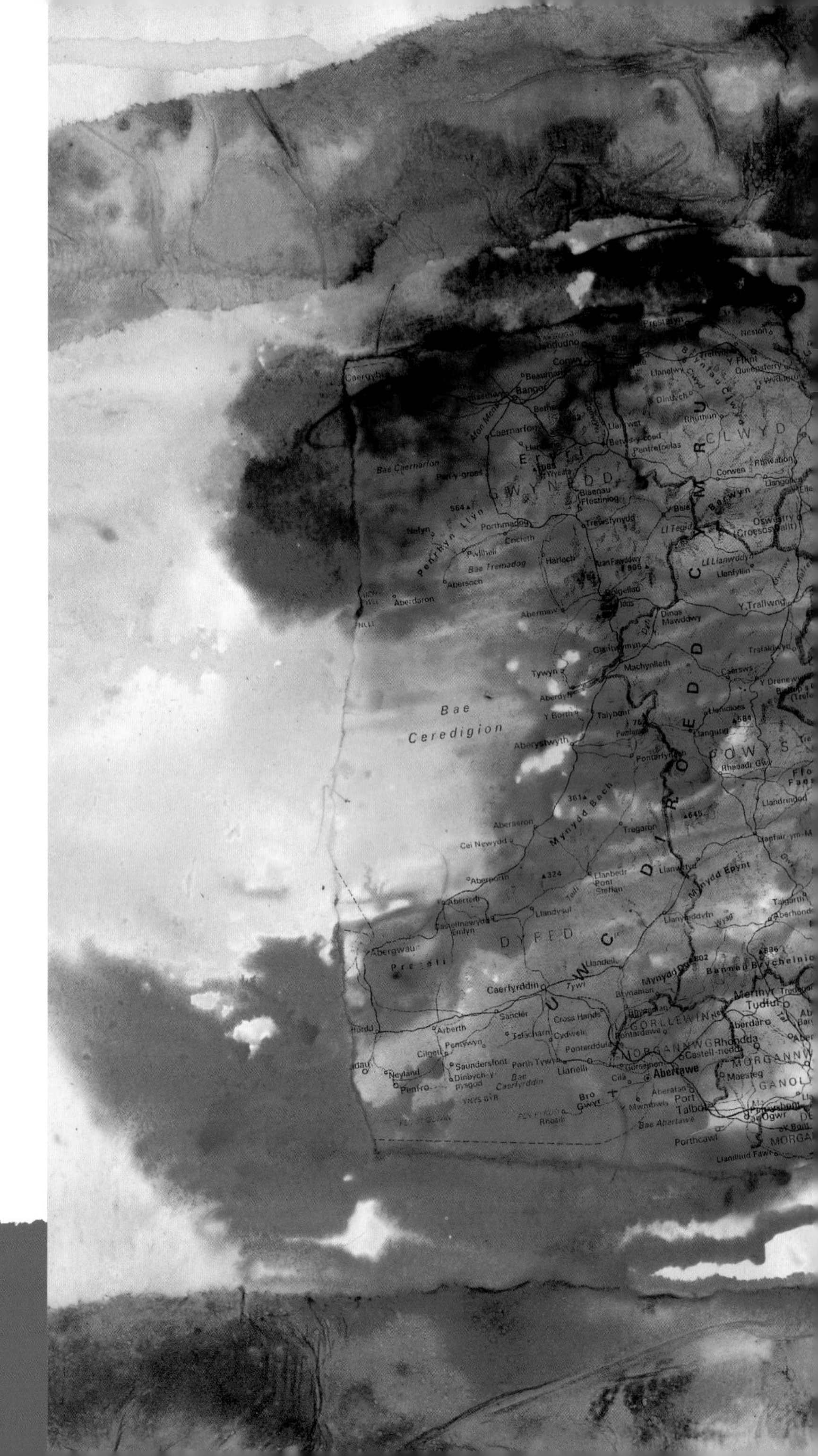

palet – *palette* • saffir – *saphire* • tywod aur – *golden sand*
Gwlad yr Iâ – *Iceland* • perl – *pearl*
pen i waered – *upside down* • emrallt – *emerald*
draig – *dragon* • megis – *like* • rhyfeddodau – *wonders*

GRØNLAND
KALAALLIT NUNAAT
Queen Elizabeth
Ys Ellesmere
Ys Devon
Ys Baffin
Southampton
Bae Hudson
Newfoundland
Quebec
Montreal
Toronto
Detroit
Chicago
Efrog Newydd
Philadelphia
Washington
YR UNOL DALEITHIAU
Houston
New Orleans
San Antonio
Jacksonville
Memphis
Atlanta
Dallas
El Paso
México
La Habana
BAHAMAS
CEFNFOR
India'r Gorllewin
Hispaniola
Y Môr Caribî
Ydd Leeward
Ydd Windward
Barranquilla
Caracas
Maracaibo
VENEZUELA
Medellín
Bogotá
COLOMBIA
Quito
ECUADOR
Guayaquil
Manaus
Belém
Fortaleza
Recife
Salvador
BRASIL
PERIW
Lima
BOLIVIA
La Paz
Brasília
Belo Horizonte
São Paulo
Rio de Janeiro
Porto Alegre
Asunción
Tucumán
ARIANNIN
Córdoba
Rosario
Mendoza
Valparaíso
Santiago
Buenos Aires
Montevideo
Ydd Falkland/Malvinas
Tierra del Fuego
TIRIOEDD DIBYNNOL
Môr Scotia
YSDD FALKLAND
Ydd De Shetland
Tir Graham
Môr Weddell
Dronning Maud
Tir Enderby
IWERYDD
Açores
Madeira
Casablanca
Rabat
Lisboa
PORTIWGAL
Madrid
Glasgow
Belfast
Dulyn
Llundain
Caerdydd
Y DEYRNAS UNEDIG
GWER IWERDDON
FFRAINC
Bordeaux
Stockholm
Leningrad
Moskva
Gorki
Kharkov
Kiev
Budapest
Bucuresti
Istanbul
Ankara
Athen
Roma
Sicilia
Alger
Tripoli
Creta
Alexandria
Cairo
YR AIFFT
Baghdad
Tehran
IRAN
SAUDI ARABIA
SUDAN
ETHIOPIA
Addis Ababa
KENYA
Nairobi
TANZANIA
Zanzibar
SOMALIA
YEMEN
Karachi
PAKISTAN
Delhi
Calcutta
Bombay
Ahmadabad
Hyderabad
Madras
Bangalore
INDIA
Colombo
MALDIVES
SEYCHELLES
MADAGASCAR
MAURITIUS
ZAMBIA
ZIMBABWE
BOTSWANA
MOZAMBIQUE
Durban
Port Elizabeth
AFFRICA
NIGER
MAURITANIA
CEFNFOR INDIA
CENFOR Y DE
UNDEB Y GWERINIAETHAU
Sverdlovsk
Novosibirsk
Novokuznetsk
Omsk
Kuybyshev
Volgograd
Rostov
Baku
Tashkent
KAZAKHSTAN
UZBEKISTAN
TURKMENISTAN
MONGOLIA
CHINA
Beijing
Tientsin
Taiyuan
Sian
Nanking
Wuhan
Shanghai
Chungking
Chengtu
Lanchow
Canton
Hong Kong
Taipei
JAPAN
Tokyo
Yokohama
Osaka
Nagoya
Seoul
Pusan
Harbin
Sapporo
Sakhalin
Manila
Rangoon
Bangkok
Ho Chi Minh
Kuala Lumpur
Singapore
Jakarta
Medan
Sydney
Newcastle
Cysyll

Edrych mewn drych

Wrth edrych yn y drych,
Gwelaf berson gwan.
Bob dydd
Pam?

Rwyf yn gweld wyneb lliwgar,
Gwelw, coch a du-las.
Yr un hen stori bob tro,
Plant yn flin ac yn gas.

Yn gaeth fel carcharor
Yr unig un.
Fy mhlentyndod yn hir
Ac yn boenus
Bob nos ar ddi-hun.

Fy nhad a fy mam yn ddiamcan,
'Beth ar y ddaear ddigwyddodd, Dan?'
Fy nhu mewn yn berwi,
Fy nheimladau'n corddi,
'Disgyn, Mam.'
Y geiriau'n troi yn fy mhen
'Dan, Dan,
The Dyslexic Man' –
Pryd wneith y bwlio
Ddod i ben?

Non Evans

drych – *mirror* • gwelaf – *I see* • gwan – *weak* • gwelw – *pale* • du-las – *blue-black* • yn gas – *nasty* • yn gaeth – *captive*
carcharor – *prisoner* • ar ddi-hun – *awake* • diamcan – *clueless* • corddi – *to churn* • disgyn – *to fall, to drop*
pryd wneith – *when will* • dod i ben – *come to an end, stop*

Fo a fi

Bob bore,
Blaidd Blwyddyn Deg yn aros
Wrth y cornel
Am oen o Flwyddyn Wyth.

Pawen ar yr oen,
Pawen ar fraich,
Cipio'r *Mars* o'r bag
Neu'r pres o'r pwrs.

A heddiw dyma'r blaidd
Yn neidio arna i.
Dannedd yn fflachio,
"Ble mae dy bres?"

Beth dw i am wneud?
Rhoi'r pres yn ei bawen?
Brefu 'mê-mê'
A rhedeg?

Nid oen ydw i,
Ond tarw Blwyddyn Wyth!
"Dos o 'ma'r bwli! Dos at dy griw!"
Ac i ffwrdd ag o – heb siw na miw!

Robat Powell

blaidd – *wolf*
oen – *lamb*
pawen – *paw*
cipio – *to snatch*
pres = arian – *money*
fflachio – *to flash*
brefu – *to bleat*
tarw – *bull*
dos = cer – *go*
heb siw na miw – *without a sound*

Mewn noson gwisg ffansi'n y colej
Aeth Twm wedi'i wisgo fel sosej
Rôl andros o sbri
Aeth adra tua thri
A bwytaodd rhyw gi o'n y pasej.

Eilir Rowlands

Roedd geneth fach ddel o Aleppo
Yn gweithio fel clerc mewn bws depo,
Gwnaeth ddêt dros y ffôn
Efo llanc o Sir Fôn,
Ond 'difarodd pan welodd ei wep-o.

R.E. Jones

rôl = ar ôl
andros o sbri – *a great deal of fun*

llanc = dyn ifanc – *lad*
difarodd – *she regretted*
gwep – *face*

Harddwch

Mae'n anodd, ambell waith, i dynnu sgwrs
  â phlant dy ffrindiau. Wel, o leia' i mi:
i rai mae'r peth yn dod yn hawdd, wrth gwrs,
  ond rywsut, nid 'wy'n gallu dal y lli.
Beth bynnag, wrth ymweld â ffrind ryw dro
  mi dynnais sgwrs â'i eneth bedair oed,
a chael yr hanes, gyda llygaid llo,
  mai ei hathrawes oedd y berta' 'rioed.
Wel, rywdro wedyn, rhoddodd imi lun
  o'i dosbarth, a'i hathrawes, gyda gwên,
a synnais at fy nisgwyliadau fy hun:
  nid llances o athrawes – menyw hen.
Rhag c'wilydd imi'n honni bod yn fardd
heb weld bod cariad yn gwneud pawb yn hardd.

Grahame Davies

tynnu sgwrs – *to hold a conversation* • rywsut – *somehow* • dal y lli – *to catch the flow* • rhyw dro – *some time*
llygaid llo – *wide-eyed* • synnais – *I was surprised* • disgwyliadau – *expectations* • llances – *young woman*
menyw – *a woman* • rhag cywilydd – *for shame* • honni – *to allege / profess*

Y ffair

Un noson hyfryd
A'r sêr yn wincio
Ces fynd i'r ffair.

Gwelais...
Oleuadau llachar,
Pobl yn gwibio o gwmpas
fel gwybed,
Stondinau o bob math
A meri-go-rownd lliwgar.

Blasais...
Y siocled
A'r afalau taffi,
Cŵn poeth
A chandi fflós.

Teimlais...
'Mod i'n colli 'ngwynt
Ar yr olwyn fawr
Ymhell yn y cymylau.

Aroglais...
Ddisel y peiriannau swnllyd,
Nionod,
Pysgod a sglodion
A sigarennau.

Synhwyrais…
Y byddwn yn lwcus heno.
Enillais ddwy gneuen goco,
Bwa saeth,
Poster o anifail
A dau bysgodyn aur.

Un noson hyfryd
A'r sêr yn wincio,
Dod adre o'r ffair.

O! Mam – dwi'n teimlo'n sâl!

Nicholas Insall

goleuadau llachar – *bright lights* • gwibio – *to dart* • gwybed – *gnats* • stondinau – *stalls*
'mod i'n colli 'ngwynt – *that I was losing my breath* • olwyn fawr – *big wheel* • cymylau – *clouds*
peiriannau – *machines, engines* • nionod = winwns – *onions* • synhwyrais – *I sensed, I felt* • bwa saeth – *bow and arrow* • O! Mam… – *Oh! My…*

Coelcerth

Ar Faes-y-Ddôl bu'r hogiau
Yn brysur am wythnosau,
Yn casglu popeth, sôn am sbri,
Wrth godi'r goelcerth orau.

Hen welyau a chadeiriau,
Bocsys, sachau a phapurau,
Brigau crin o Goed-y-Gelli,
Teiars ceir a hen fatresi,
Sbarion coed o weithdy'r saer,
Cadair freichiau, giât Pen Gaer,
Doliau pren a gwellt a gwair
A hen 'sgidiau Modryb Mair;
Pentyrru popeth ar y llawr
A chael o'r diwedd goelcerth fawr.

Ac ar noson Tân Gwyllt
Daeth Wil a Dei,
I Faes-y-Ddôl
Hefo clamp o 'Gei'.

Wyneb coch a breichiau llipa,
Locsyn gwyn a choesau tena'.
Trowsus streips, côt cynffon fain,
Ac am ei wddw, sgarff fy Nain;
Ac ar ei ben 'roedd het silc ddu,
Hen un bwgan brain Tŷ Fry.

Yna'r tanio
Y fflamio a'r clecian,
Hogiau yn gweiddi
A'r genod yn sgrechian,
A'r goelcerth yn gwegian
Wrth chwalu i'r llawr,
A Guto'n llosgi'n
Y fflamau mawr.

Tân,
Sôn am dân
'Roedd wyneb Dei
Yn ddu fel y frân,
A gwreichion fel sêr
Yn codi o'r tân.

Ond, bore wedyn
Doedd 'na ddim ar ôl
– dim ond ogla mwg,
A'r llwch yn drwch ar Faes-y-Ddôl.

Selwyn Griffith

hogiau = bechgyn – *boys* • sôn am sbri – *talk about fun* • coelcerth – *bonfire* • brigau crin – *withered branches*
sbarion coed – *bits of wood* • gweithdy'r saer – *the carpenter's workshop* • gwellt – *straw* • gwair – *hay* • pentyrru – *to pile up*
clamp o Gei – *a huge Guy* • llipa – *limp* • locsyn – *beard* • côt cynffon fain – *tail-coat* • bwgan brain – *scarecrow* • tanio – *lighting*
clecian – *crackling* • genod = merched – *girls* • gwegian – *to sway* • chwalu – *to disintegrate* • brân – *crow* • gwreichion – *sparks*
ogla = arogleuon – *smells* • mwg – *smoke* • llwch – *dust* • yn drwch – *thick*

Cerdd tân gwyllt

Rocedi'n gwibio i fyny'r awyr,
Fflamau'n cydio yn y brigau
fel tafod neidr,
Plant bach yn crïo,
a'r tân yn llenwi'r awyr â hapusrwydd,
Oglau cŵn poeth yn llenwi
fy ffroenau,
Pobl yn baldorddi ar draws
ei gilydd,
Fflamau yn tasgu i bob man,
Yr awyr fel sbloets lliwgar wedi ei beintio gan blentyn bach,
Cysgodion yn cropian ar hyd y llawr,
Y tân fel nadredd lliwgar wedi cordeddu yn ei gilydd,
Esgidiau yn suddo i mewn i'r mwd meddal,
Sŵn rocedi'n byrstio allan
i fod fel cannoedd o binnau bach,
Arogl mwg,
a choed yn llosgi,
a phlant yn gafael yn dynn
yn llaw eu rhieni,
Noson tân gwyllt,
Noson i'w chofio.

Kathy Griffiths

gwibio – *to dart* • cydio yn – *to take hold of* • brigau – *branches* • neidr – *snake* • oglau – *smell* • ffroenau – *nostrils* • baldorddi – *to babble* • tasgu – *to spark*
sbloets – *splash* • cysgodion – *shadows* • cropian – *to creep* • nadredd – *snakes* • cordeddu – *to twist* • suddo – *to sink*
arogl – *smell* • llosgi – *to burn* • gafael yn dynn – *to hold tightly*

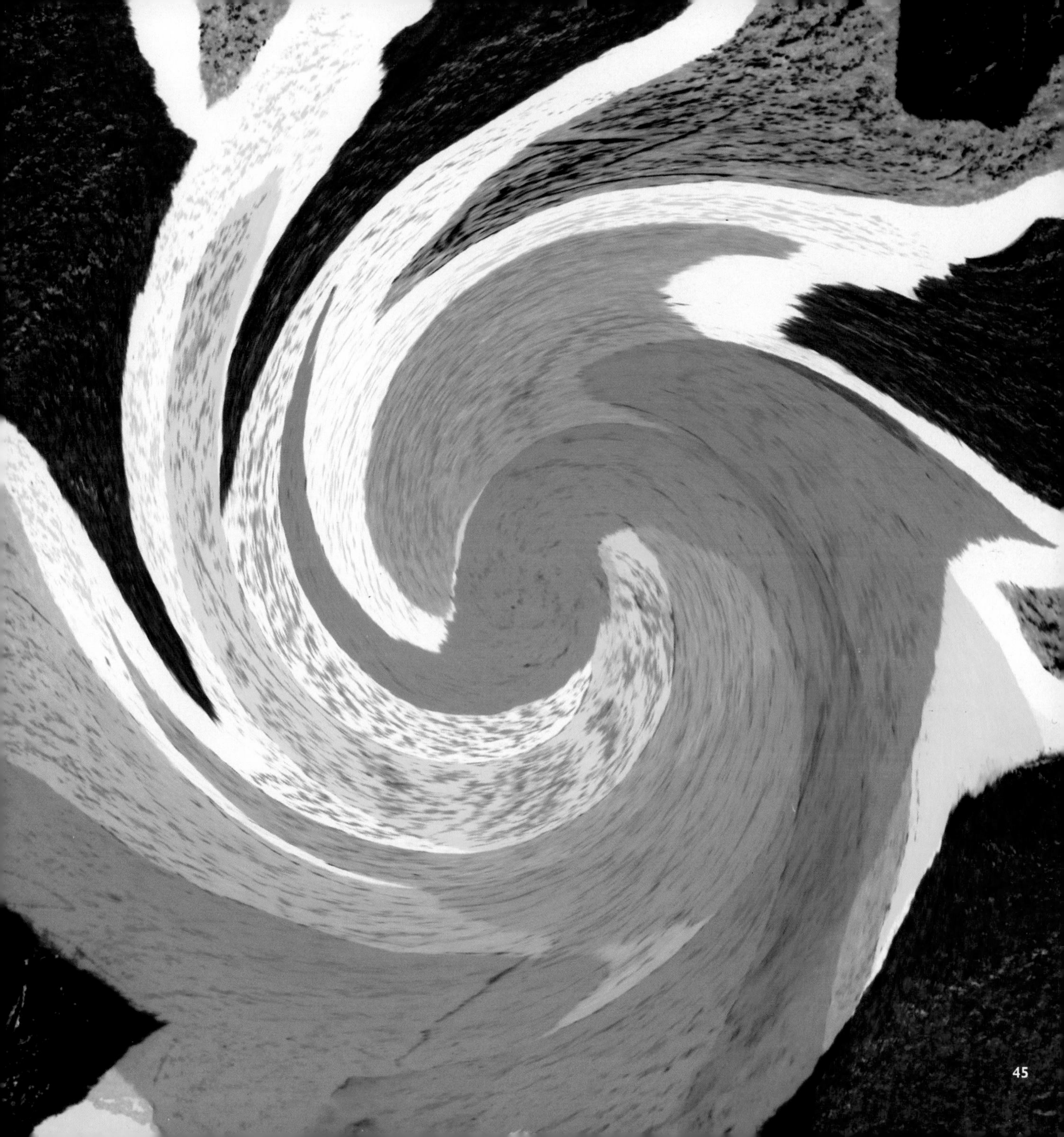

Ond

'Wel, be' gest ti 'te?'

'Dim ond Nintendo 64,
teledu lliw,
gêm CD-ROM
a fideo *Pam fi Duw?*...
... O, ia, a thôn gron Mam,
"Ti 'di gwylio dy siâr,
Tro'r teledu 'na i ffwrdd
cyn i'th lygaid droi'n sgwâr".'

OND...
... ar y bocs sgwâr hwnnw
wedi'r noswyl,
gwelais wynebau diolchgar
a dwylo cynhyrfus
yn gwagio'u trysorau
o'r bocsys esgidiau –
dwy bensil a beiro,
hen oriawr a io-io,
brws dannedd a sebon,
gwlanen lliw lemon.
Yng ngwaelod y bocs –
tedi bach tirion
yn gysur i'r amddifad
ar nosweithiau hirion.

'Dad, mae Dei drws nesa'
'di cael y beic diweddara';
Mae 'mhen-blwydd i'n dod toc
ac, ew, mi fasa'n braf
cael pâr o 'sgidiau Reebok... '

Siân Teleri Davies

tôn gron – *nagging* • noswyl – *eve* • diolchgar – *grateful* • cynhyrfus – *excited* • gwagio – *to empty* • trysorau – *treasures* • oriawr – *a watch*
gwlanen – *flannel* • gwaelod – *bottom* • tirion – *gentle* • cysur i'r amddifad – *a comfort for an orphan* • diweddara – *latest* • toc – *soon*

Y Doethion

Y rhain o'r Dwyrain sy'n dod – i siarad
Am seren wrth Herod:
Ymholi ar gamelod
Am Un bach, y mwya'n bod.

Gwilym Herber Williams

Y Doethion
(Detholiad)

Pwy yw y rhain sy'n dod
I'r ddinas ar y bryn,
Yng ngolau'r seren glaer
Ar eu camelod gwyn?
Brenhinoedd dri yn ceisio crud
Brenin brenhinoedd yr holl fyd.

I.D. Hooson

y rhain – *these*
ymholi – *to ask*
mwya = mwyaf – *greatest*

dinas – *city*
bryn – *hill*
seren glaer – *shining star*
brenhinoedd – *kings*
ceisio – *looking for*
crud – *cradle*
yr holl fyd – *the whole world*

Ystyr y Nadolig
(Detholiad)

Nadolig yw'r dod ynghyd
yn deuluoedd,
perthnasau,
a ffrindiau,
i ddangos cariad tuag at ei gilydd
mewn anrheg a chân
i gydlawenhau
bod Mab Duw wedi'i eni
yn blentyn.

Helpa ni, Arglwydd
yn ein gwledda a'n miri
i gofio
mai pobl yw Nadolig:
teulu Mair a Joseff
a baban newydd...

Allan o *Pray with Us*, gweddïau o ysgol yn Cenia wedi eu casglu gan Maureen Edwards

dod ynghyd – *coming together* • perthnasau – *relatives* • tuag at ei gilydd – *towards each other* • cydlawenhau – *to rejoice together*
wedi'i eni – *born* • Arglwydd – *Lord* • gwledda – *feasting* • miri – *merriment*

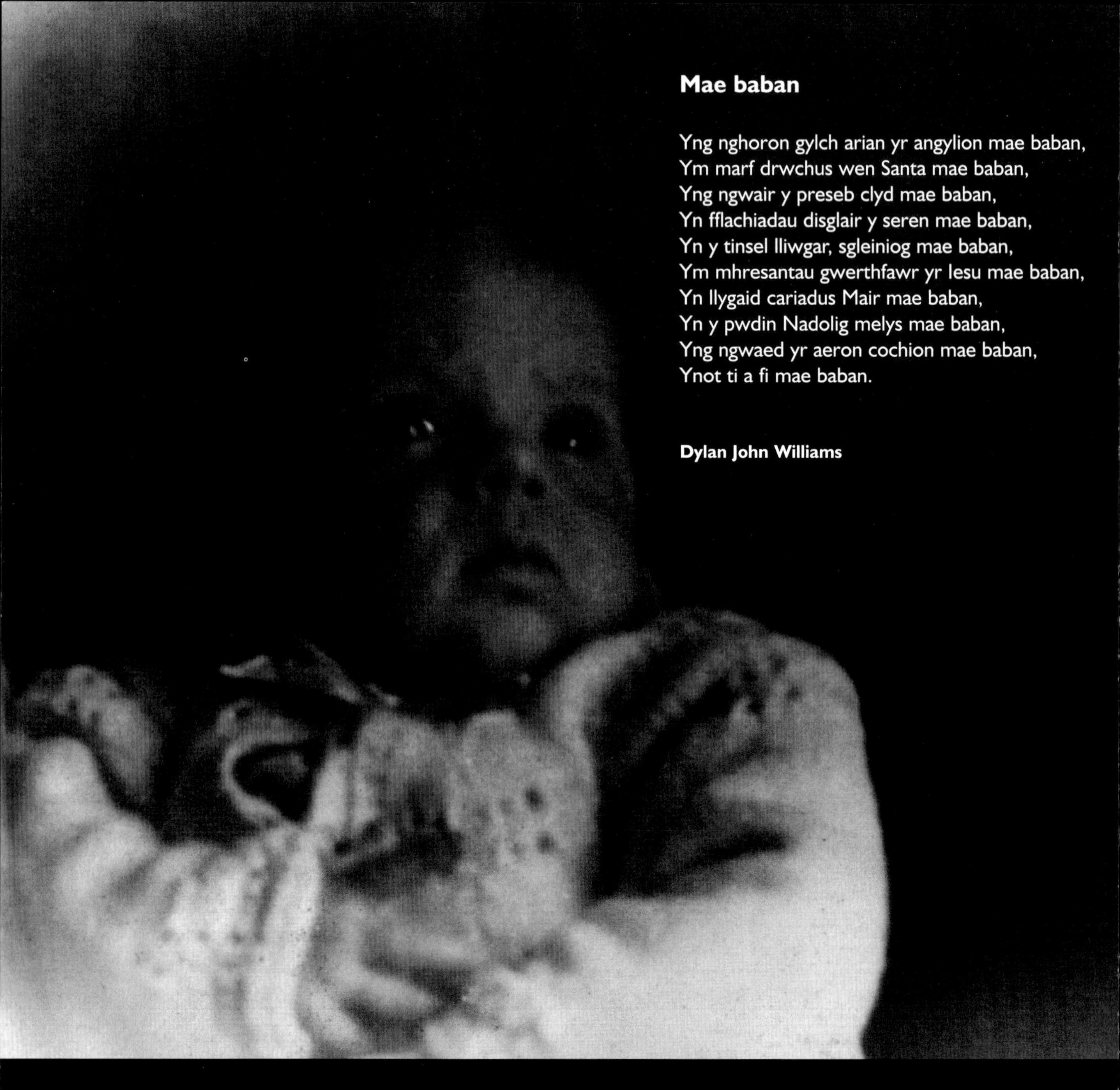

Mae baban

Yng nghoron gylch arian yr angylion mae baban,
Ym marf drwchus wen Santa mae baban,
Yng ngwair y preseb clyd mae baban,
Yn fflachiadau disglair y seren mae baban,
Yn y tinsel lliwgar, sgleiniog mae baban,
Ym mhresantau gwerthfawr yr Iesu mae baban,
Yn llygaid cariadus Mair mae baban,
Yn y pwdin Nadolig melys mae baban,
Yng ngwaed yr aeron cochion mae baban,
Ynot ti a fi mae baban.

Dylan John Williams

coron gylch arian – *round, silver crown (halo)* • barf drwchus – *thick beard* • gwair – *hay* • preseb – *manger* • clyd – *cosy*
fflachiadau – *flashes* • disglair – *shining* • sgleiniog – *shiny* • cariadus – *loving* • gwaed – *blood*
aeron cochion – *red berries* • ynot ti – *in you*

Coeden Nadolig

Sowldiwr
gwyrdd
yng nghornel
y parlwr.
Cerflun pigog amryliw.
Neidr o dinsel
yn igam-ogamu.
Golau fel goleuadau disgo
yn fflachio.
Goleudy tir-sych
yn wincian, wincian,
wincian, wincian,
wincian,
a thynnu coes.
Breichiau blinedig
yn dal
clychau
peli
rubanau
angylion
a sêr.

Rosie Haywood, Osian Rhys Jones, Dylan John Williams, Kathy Griffiths a Lowri Lloyd Williams

cerflun – *sculpture* • pigog – *prickly* • amryliw – *multicoloured* • neidr – *snake* • igam-ogamu – *to zig-zag* • fflachio – *to flash*
goleudy – *lighthouse* • tir-sych – *dry land* • tynnu coes – *to pull a leg* • blinedig – *tired* • dal – *to hold* • clychau - *bells*
angylion - *angels* • sêr - *stars*

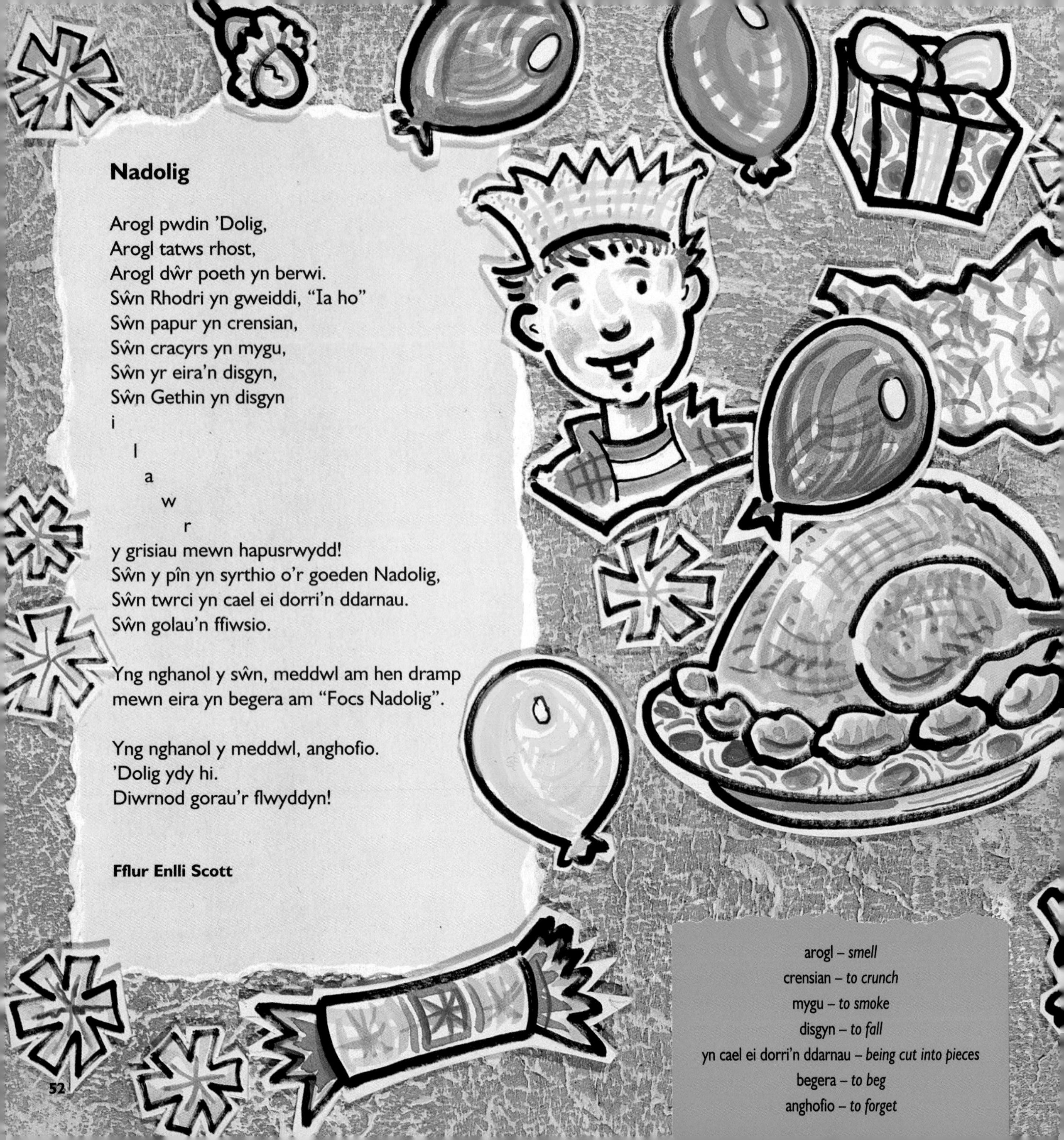

Nadolig

Arogl pwdin 'Dolig,
Arogl tatws rhost,
Arogl dŵr poeth yn berwi.
Sŵn Rhodri yn gweiddi, "Ia ho"
Sŵn papur yn crensian,
Sŵn cracyrs yn mygu,
Sŵn yr eira'n disgyn,
Sŵn Gethin yn disgyn
i
l
a
w
r
y grisiau mewn hapusrwydd!
Sŵn y pîn yn syrthio o'r goeden Nadolig,
Sŵn twrci yn cael ei dorri'n ddarnau.
Sŵn golau'n ffiwsio.

Yng nghanol y sŵn, meddwl am hen dramp
mewn eira yn begera am "Focs Nadolig".

Yng nghanol y meddwl, anghofio.
'Dolig ydy hi.
Diwrnod gorau'r flwyddyn!

Fflur Enlli Scott

arogl – *smell*
crensian – *to crunch*
mygu – *to smoke*
disgyn – *to fall*
yn cael ei dorri'n ddarnau – *being cut into pieces*
begera – *to beg*
anghofio – *to forget*

Diolch byth

Diolch am y ’Dolig,
Diolch am yr Ŵyl.
Diolch am rieni
I dalu am yr hwyl.
Diolch am y gwyliau
A’r ysgol wedi cau.
Diolch am y ffrwythau,
Diolch am y cnau.
Diolch am anrhegion
Ac am y pwdin plwm.
Diolch am gael gorwedd
A ’mol i’n dynn fel drwm.
Diolch am y cigoedd
A gaf i ar fy fforc,
A diolch byth nad ydwyf i
Yn dwrci neu yn borc!

Edgar Parry Williams

Un ’Dolig roedd Mam am arbrofi,
‘Byddai camel yn neis yn lle twrci,’
Ac yn wir, doedd ei flas
Ddim yn erchyll o gas,
Ond roedd ambell i lwmp yn y grefi.

Llion Jones

talu – *to pay* • hwyl – *fun* • cnau – *nuts*
gorwedd – *to lie down* • tynn – *tight*
cigoedd – *meats* • a gaf i – *which I have*
nad ydwyf i – *that I'm not*

arbrofi – *to experiment* • yn lle – *instead of*
blas – *taste* • erchyll o gas – *disgustingly awful*
ambell i lwmp – *a few lumps*

Gwrid

Peth coch ydi Dolig.

Coch ydi Santa
a thrimins
a hetiau papur
a thrwyn carw.

A choch
ydi botymau'r celyn
a geiriau'r cardiau.

Coch ydi papur lapio,
brest Robin Goch
tân coed
a thrwyn Taid

a'r gwaed
ar ddwylo'r cigydd.

Glyn Evans

gwrid – *blush* • carw – *reindeer* • botymau – *buttons* • celyn – *holly* • geiriau – *words* • papur lapio – *wrapping paper* • gwaed – *blood*

mi drefnaf – *I will arrange* • gŵyl – *feast day*
mi a alwaf – *I will call* • creodd – *created*
gosododd – *placed* • lle yn y llety – *room in the inn*
fe styrbiodd – *he disturbed* • gorfoledd – *rejoicing*
beudy – *cowshed* • penliniodd y tri – *the three kneeled*
wrth erchwyn y preseb – *by the side of the manger*
gwingo – *to writhe* • diweddarach – *later*

Dwy fil o flynyddoedd

Dwy fil o flynyddoedd yn ôl,
Dywedodd Duw –
"Mi drefnaf Ŵyl,
ac mi a alwaf yr Ŵyl
Yn Nadolig".

A Duw a greodd seren,
ac fe'i gosododd uwchben y byd,
ac fe drefnodd daith i dri Santa Clôs
ei dilyn ar gefn eu camelod.

A Duw a ofalodd
nad oedd lle yn y llety
i Joseff a Mair.
Fe styrbiodd gwsg y bugeiliaid,
ac fe ddysgodd gân o orfoledd
i'r angylion.

A phan stopiodd y seren
uwchben y beudy,
penliniodd y tri Santa Clôs
wrth erchwyn y preseb,
gan lenwi hosan yr hen foi bach.

Ac yn ei balas
'roedd Herod yn gwingo.

****

A dwy fil o flynyddoedd yn ddiweddarach
daeth Herod
i Dunblane*.

Selwyn Griffith

* Dunblane: Tref yn Yr Alban ydy Dunblane. Ym mis Mawrth 1996, cafodd 16 o blant bach a'u hathrawes eu lladd yn yr ysgol. Daeth dyn o'r enw Thomas Hamilton i mewn i'r ysgol a'u saethu nhw.

Diffodd y golau
(Detholiad)

Roedd 'na rywbeth
yn go arbennig
yn nhre'r Nadolig
pan ddiffoddodd y trydan.

Dim gwerthu ym Marks,
dim coffi yn y caffi,
y siopau'n dywyll fud;
fel petai'r gwir Nadolig
yn ceisio cael cyfle
i rannu'i genadwri.

Ac yr oedd rhywbeth yn braf
yn yr arafu,
yr eistedd, y disgwyl.
a'r siarad efo'n gilydd.

Roedd Duw yn deall yn union
beth oedd o'n ei wneud
pan dorrodd o'r cyflenwad trydan
Noswyl Nadolig.

Aled Lewis Evans

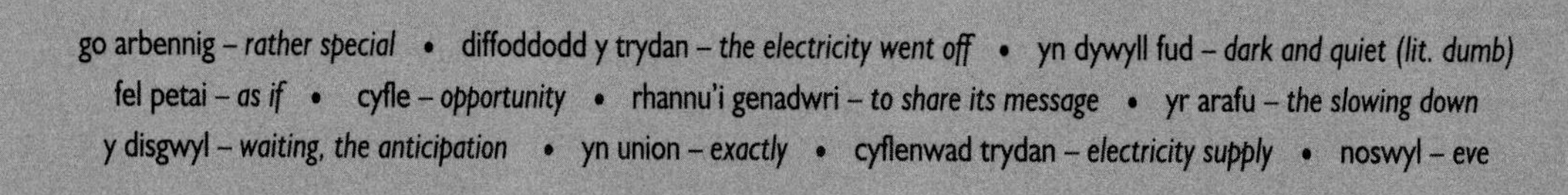
go arbennig – *rather special* • diffoddodd y trydan – *the electricity went off* • yn dywyll fud – *dark and quiet (lit. dumb)*
fel petai – *as if* • cyfle – *opportunity* • rhannu'i genadwri – *to share its message* • yr arafu – *the slowing down*
y disgwyl – *waiting, the anticipation* • yn union – *exactly* • cyflenwad trydan – *electricity supply* • noswyl – *eve*

Calennig

Blwyddyn Newydd Dda i chwi,
Ac i bawb sydd yn y tŷ;
O! Dyma'r flwyddyn ore'
O! Dyma'r flwyddyn ore'
O! Dyma'r flwyddyn ore'
A Blwyddyn Newydd Dda.

Traddodiadol

Calennig

Blwyddyn Newydd Dda i chwi,
Ac i bawb sydd yn y tŷ;
Dyna yw'n dymuniad ni
Blwyddyn Newydd Dda i chwi.

Traddodiadol

Prognosticasiwn Dr. Powel
(Detholiad)

Fe fydd y flwyddyn nesa
Weithie'n law, weithie'n hindda,
Weithie'n rhew, weithie'n eira,
Weithie'n wanwyn, weithie'n ha.

Siôn Tudur

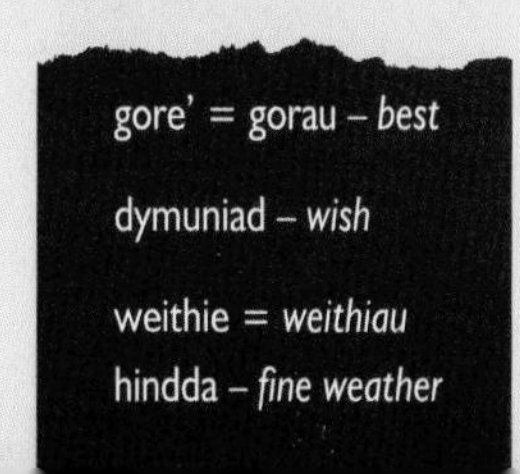

Diwrnod i'w gofio

Aeth trip Ysgol Sul draw i'r Bermo
A dyna i chi ddiwrnod i'w gofio
        Roedd ras am y dŵr
        Ac O! roedd 'na stŵr
Collodd ficer y plwy ei dryncs nofio.

Dylan Davies

stŵr – *commotion*
ficer y plwy – *the vicar of the parish*

Ar y stryd ym Mrwsel

Yno
yn chwarae ei gân
mor hapus i glust
rhai'n mynd heibio.

Plentyn bach
â'i ffliwt blastig
a phawb yn troi
i glywed ei gân.

Yno
ar y stryd
yn cardota gyda'i ffliwt
y plentyn bach
â'i arian mân yn yr het.

A'r gân yn atseinio
mor hyfryd o drist.

Aled Lewis Evans

rhai = rhai pobl – *some people*
cardota – *to beg*
arian mân – *coins*
atseinio – *to echo*

Hudoles

Y mae hi mor ddel
mae'n gwneud bywyd
yn werth ei fyw
dim ond cael edrych arni
ar draws ystafell.

Hufen ei chroen,
gwlith ei gwefusau,
tro ei thrwyn,
ymchwydd hudolus ei bronnau
a chroesiad rhywiol ei choesau.

Miwsig y gwynt
ar ei hanadl.

Fflach chwareus
ei llygaid.

Yna;
mae'n rhoi blaen ei bys
yn ei thrwyn
a rowlio'r baw
yn belen
rhwng bys a bawd
a'i saethu,
mor sicr ei hanel,
o'r
golwg
dan
y
bwrdd.

Gan feddwl;
nad oes neb yn sylwi...

Glyn Evans

hudoles – *enchantress* • del – pretty • gwlith – *dew* • gwefusau – *lips* • ymchwydd – *swelling* • hudolus – *enchanting* • bronnau – *breasts*
croesiad rhywiol ei choesau – *the sexy way she crosses her legs* • anadl – *breath* • fflach chwareus – *playful flash* • blaen ei bys – *the tip of her finger*
baw – *snot* • bawd – *thumb* • gan feddwl – *thinking* • mor sicr ei hanel – *her aim so sure* • o'r golwg – *out of sight*
nad oes neb yn sylwi – *that no-one notices*

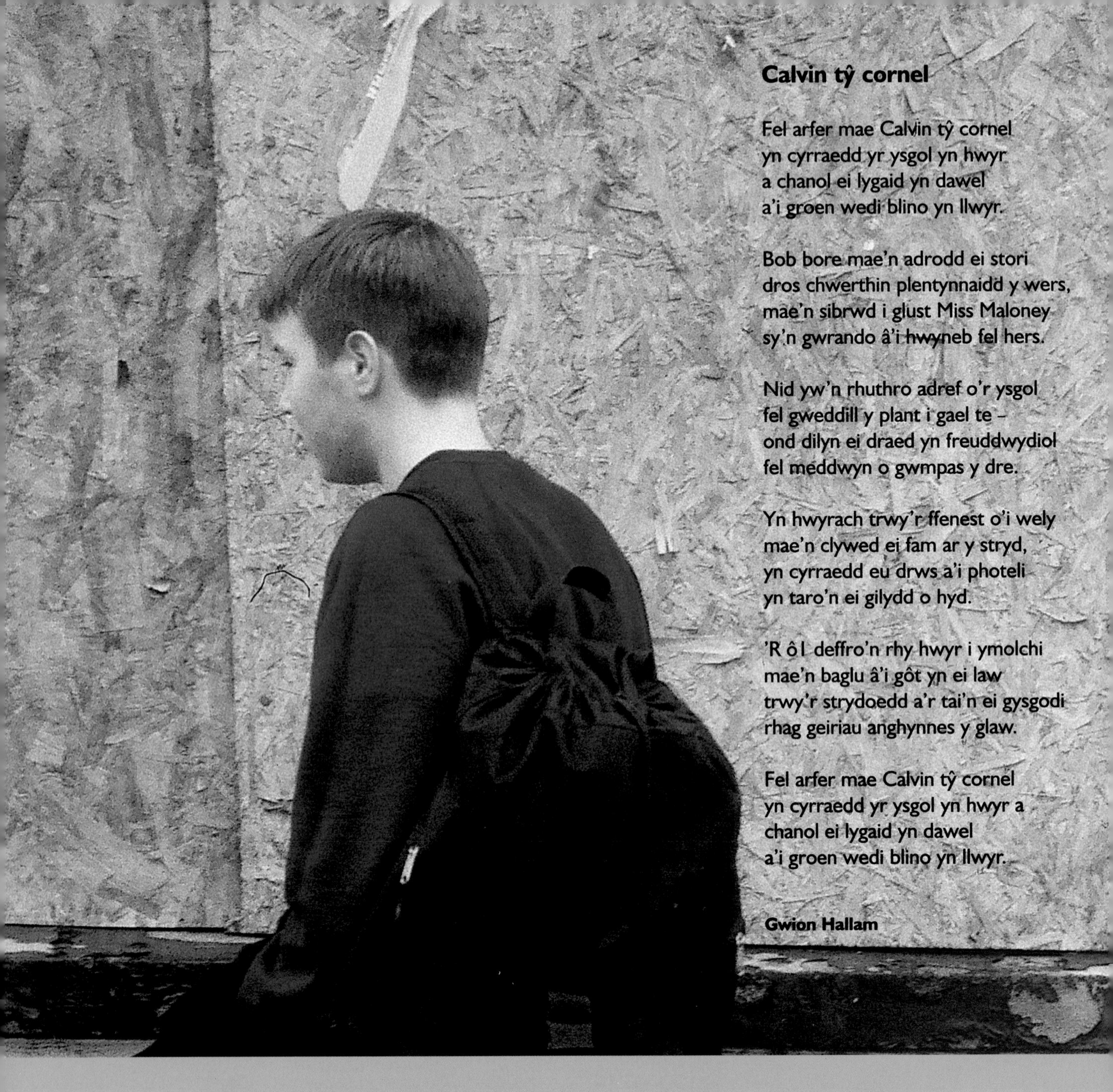

Calvin tŷ cornel

Fel arfer mae Calvin tŷ cornel
yn cyrraedd yr ysgol yn hwyr
a chanol ei lygaid yn dawel
a'i groen wedi blino yn llwyr.

Bob bore mae'n adrodd ei stori
dros chwerthin plentynnaidd y wers,
mae'n sibrwd i glust Miss Maloney
sy'n gwrando â'i hwyneb fel hers.

Nid yw'n rhuthro adref o'r ysgol
fel gweddill y plant i gael te –
ond dilyn ei draed yn freuddwydiol
fel meddwyn o gwmpas y dre.

Yn hwyrach trwy'r ffenest o'i wely
mae'n clywed ei fam ar y stryd,
yn cyrraedd eu drws a'i photeli
yn taro'n ei gilydd o hyd.

'R ôl deffro'n rhy hwyr i ymolchi
mae'n baglu â'i gôt yn ei law
trwy'r strydoedd a'r tai'n ei gysgodi
rhag geiriau anghynnes y glaw.

Fel arfer mae Calvin tŷ cornel
yn cyrraedd yr ysgol yn hwyr a
chanol ei lygaid yn dawel
a'i groen wedi blino yn llwyr.

Gwion Hallam

adrodd ei stori – *to tell his tale* • sibrwd – *to whisper* • hers – *hearse* • rhuthro – *to rush* • gweddill – *the rest*
yn freuddwydiol – *in a dream* • meddwyn – *drunkard* • taro'n ei gilydd – *to rattle* • o hyd – *all the time* • baglu – *to stumble*
ei gysgodi – *to give him shelter* • anghynnes – *miserable*

Nhad

Mae pedair o gadeiriau
O hyd o gylch y bwrdd
Ond does ond tri yn eistedd –
Mae Nhad 'di mynd i ffwrdd.

Nid ydyn ni yn chwerthin,
Na gwenu llawer nawr,
Na gwneud dim byd ond nodio
Wrth lowcio'r bwyd i lawr.

Ac yna brysio allan
Y bydda i a Jac
I gicio pêl a rycsio
Am dipyn yn y bac.

A phan fydd Mam yn gweiddi
Bod swper ar y bwrdd
Mi af yn ôl yn ara –
Mae Nhad 'di mynd i ffwrdd.

Bydd Mam yn gwneud ei gore
I wenu fel o'r blaen
Ond mae fy mrawd a minne
Yn gwybod am y straen.

A'r hyn sy'n brifo, brifo
Bod Nhad yn rhywle nawr
Yn jocian ac yn chwerthin
Wrth lowcio'i fwyd i lawr.

A phedair o gadeiriau
O amgylch bwrdd fel hwn,
A'i deulu newydd yno
Yn gyfan ac yn grwn.

Gwynne Williams

o hyd – *still* • o gylch = o amgylch – *around* • does ond – *there are only* • nid ydyn ni – *we don't*
llowcio – *to bolt (one's food)* • rycsio – *to play around* • mi af – *I'll go* • yn gyfan ac yn grwn – *complete*

Taid

I Nhaid rhyw dir neb
ydy daear blin y gegin gefn
a dydy Dad
na hyd yn oed Nain
    yn neb
        iddo nawr.

Mae amser
yn glynu wrth ei sliperi
                fel slwj
        y Somme*
wrth iddo symud
o'i gadair i'r bwrdd
ac o'r bwrdd yn ara bach
yn ôl i'r aelwyd.

Ac yno mwy
yn sŵn y gynnau
            mud
mae Nhaid
â dim mwy i'w wneud
yn swatio yn ffos ei go
ac yn gweld
â'i lygad marw gwag
hen lygod mawr y gwyll
sy'n dod o Passchendaele*,
o Ypres*
ac o nos Pilkem Ridge*
yn nesu

ac yntau'n aros
            aros
                    y waedd
I fynd dros y t... o... o... p

Gwynne Williams

* Somme, Passchendaele, Ypres, Pilkem Ridge – roedd brwydrau *(battles)* ofnadwy yn y lleoedd yma yn ystod y Rhyfel Byd Cyntaf.

tir neb = *no-man's land* • daear blin – *troubled earth* • glynu – *to stick* • slwj – *sludge* • ara bach – *slowly* • aelwyd – *hearth*
gynnau – *guns* • mud – *mute* • swatio – *crouching* • ffos ei go – *the trench of his memory* • gwyll – *dusk, twilight*
nesu – *coming nearer* • yntau – *he* • gwaedd – *shout, command*

Kylie a hi

'Mae gen i dipyn o gur pen heddiw'
meddwn innau.
Ddim hanner cymaint â thi
a'th fabi yn y pram
yn bymtheg oed.

'Rhaid i mi fynd'
fel pawb arall yn dy hanes
yn bymtheg oed,
efo dy fabi, Kylie.
A thithau'n ei dal am dy einioes.

Aled Lewis Evans

meddwn innau – *I said*
cymaint – *as much as*
tithau -*you*
dal – *to hold*
am dy einioes – *for your life*

Y tŷ otomatig

"Dw i adra...
            ... dw i adra."

Adlais fy llais
yn y tŷ gwag otomatig.

"Brrym" – gair o groeso o foilyr y gwres canolog.
"Bip-bip" – mae'r bwyd yn barod meddai'r meicrodon
wrtha i a'r bocs Mr Kipling ar y bwrdd.

Mae'r rhieni cogio yn gwenu ar hysbys y teledu.
Does neb yn sgwrsio.
Does neb yn holi "Sut aeth hi heddiw?"
a dweud "Paid â phoeni am Gronw a'i griw."

Gadawaf i *Grange Hill* ateb fy nghwestiynau
a rhannu fy ngofidiau.

Mi ddaw Mam yn ôl toc
yn llawn ogla' papur a swyddfa
ond "dw i adra...
            ... dw i adra."

Esyllt Maelor

adlais – *echo* • gwres canolog – *central heating* • meicrodon – *microwave oven* • rhieni cogio – *pretend parents*
hysbys = hysbysebion – *advertisements* • sgwrsio – *to chat* • gadawaf – *I let, I allow* • rhannu – *to share*
gofidiau – *worries* • mi ddaw Mam – *Mum will come* • toc – *soon* • ogla' = arogleuon – *smells*

Washday Blues

Rhoddais di-shyrt newydd Lefi
i fy mam er mwyn ei olchi
Cannaid wyn oedd cyn mynd yno,
nawr mae'n biws bob rhan ohono!

Rhoddais wedyn Wranglers iddi
er mwyn iddi gael eu golchi
Ro'n nhw'n twelve, ac ro'n nhw'n ffitio
Ffitiff rheina fyth fi eto!

Rhoddais Swetshyrt Puma iddi
yn y gobaith gallai'i olchi
Pan ddaeth allan roedd fel melfed –
Kleenex tissues yn y boced!

Rhoddais heibio drystio ynddi,
a byth mwy ni chaiff hi olchi!
Nawr ar Bold mae Mam yn cefnu.
Tybed pam mae hi yn gwenu?

Einir Jones

cannaid wyn – *bright white* • bob rhan ohono – *all over*
ffitiff rheina fyth fi eto – *those will never fit me again*
yn y gobaith – *in the hope* • melfed – *velvet*
rhoddais heibio – *I gave up* • trystio – *to trust*
byth mwy – *never again* • ni chaiff hi – *she will not be allowed*
cefnu ar – *to turn her back on*

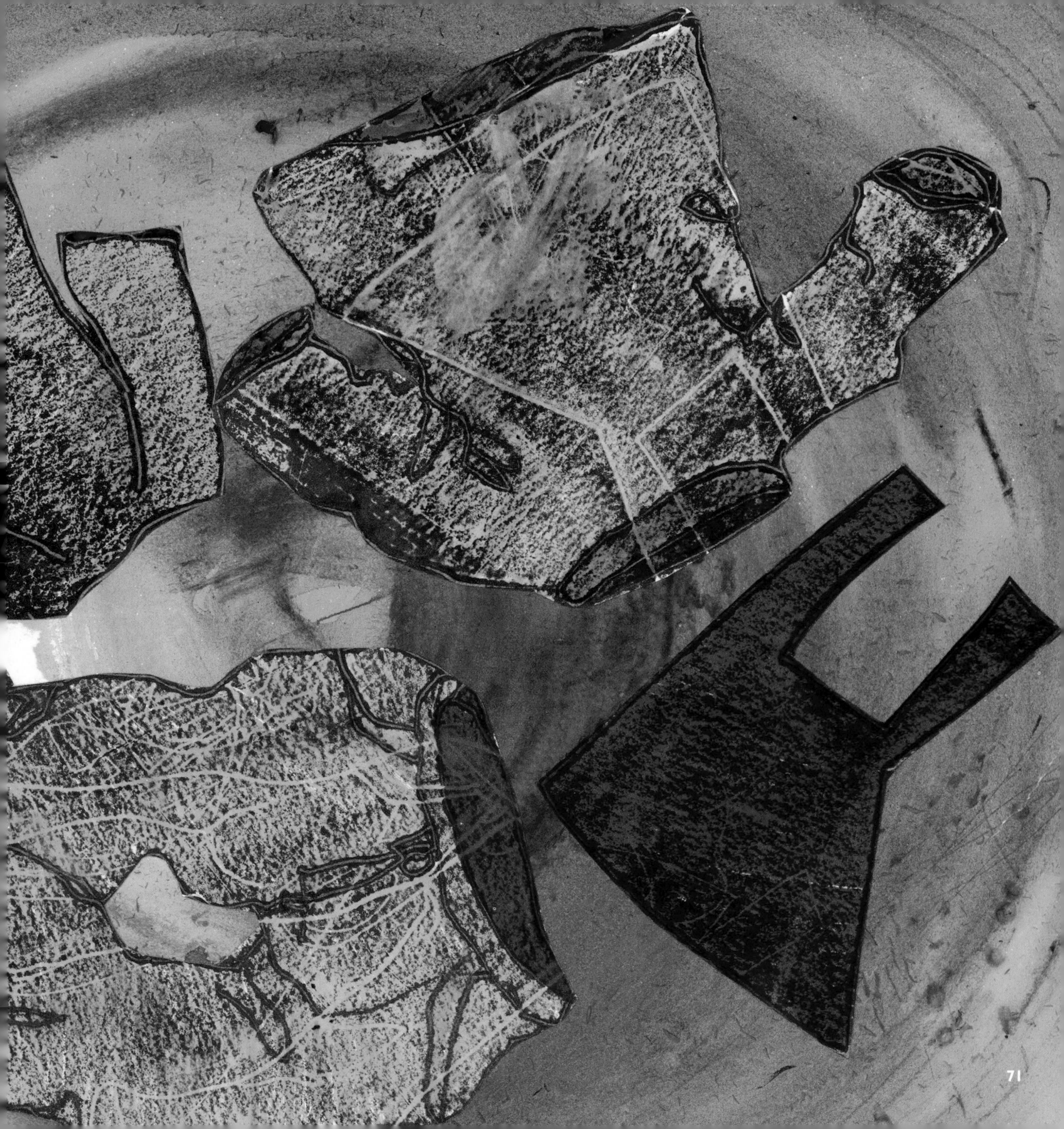

Tafodau symudol

Helo?
Gesia be'?
Dwi wedi cael plastic tw-tôn
am fy ffôn
– fy ffôn-ar-y-lôn.
Da 'te?

Helo?
Diolch am y CD sacsoffôn.
Ti isio rhannu toblerôn?
Wela' i di wrth giât lôn.
Trra!

Helo?
Sgen ti rif Megan Fôn?
Mae hithau wedi cael ffôn
– dyna ydi'r sôn ar y lôn.
Da 'te?

Helo?
Sssh!
Prawf Daearyddiaeth.
Lle mae Afon Rhône?
Rho ganiad yn ôl
ar fy ffôn-ar-y-lôn.
Brysia!

Helo?
Newydd gael caniad gan Joan
ar y ffôn o Barcelona.
Mae hi'n binc fel King Prôn.
Bechod 'te?

Helo?
Mae Siân sy'n mynd efo Siôn
i lawr i saith stôn...
Dyna ydi'r sôn ar y ffôn.
Oeddat ti'n gwybod hynny?

Helo?
Mae 'na rywbeth yn bod efo tôn
y blîp ar fy ffôn.
Ydi o i'w wneud efo twll yr osôn?
Ti'n meddwl?

Helo?
Mae Bygsi Malôn
newydd ddweud dros y megaffôn
y bydd yr ysgol yfory
yn ffôn-ar-y-lôn-ffri-sôn.
Fedar o ddim!

Helo?
Gesia be'?
Mae Dad wedi cael bil fy ffôn-ar-y-lôn.
Mae o gymaint â Sir Fôn!
Be' 'na i?

Myrddin ap Dafydd

tafodau – *tongues* • symudol – *mobile* • gesia be' – *guess what* • ffôn-ar-y-lôn – *mobile phone* • da 'te – *good isn't it* • ti isio – *do you want*
rhannu – *to share* • giât – *gate* • caniad – *a call* • bechod 'te – *what a pity* • dyna ydi'r sôn – *that's what they say*
mae 'na rywbeth yn bod – *there's something wrong* • ydi o i'w wneud efo? – *is it to do with?* • twll – *hole*
fedar o ddim – *he can't* • cymaint â – *as big as* • be' 'na i? – *what shall I do?*

Traws Cambria

mae hi'n teithio ar fws Traws Cambria
ar fore glawog llwyd
mae ganddi gur yn ei phen
a phoen yn ei bol
ar ôl cychwyn heb damaid o fwyd;
ac mae'r lôn yn sgleinio'n ddu a gwlyb
olwynion yn troi islaw –
ffarwél i'r gwaith mewn siop sgidia', bois
mae 'na fan gwyn man draw.

breuddwydio am yfory ac anghofio am ddoe
breuddwydio am yfory – a ffoi

dacw Sunland, Funland, "Sunny Rhyl",
Llandudno heb ymwelwyr haf,
mwynder Maldwyn yn ymestyn o'i blaen
yn welw a llwyd fel claf...
'toes ganddi hi ddim breuddwyd,
'toes ganddi ddim gobeithion mawr,
'toes ganddi ddim byd
ond sêt reit glyd
ar fws yn teithio trwy'r glaw.

breuddwydio am yfory ac anghofio am ddoe,
breuddwydio am yfory – a ffoi

Steve Eaves

glawog – *rainy* • tamaid o fwyd – *a bite to eat* • lôn = ffordd / heol – *road* • sgleinio – *to shine* • olwynion – *wheels* • islaw – *beneath*
mae 'na fan gwyn, man draw – *the grass is greener elsewhere* • breuddwydio – *to dream* • ffoi – *to flee* • ymwelwyr – *visitors*
mwynder Maldwyn – *the pleasantness of Maldwyn* • ymestyn o'i blaen – *to stretch out before her*
gwelw a llwyd – *pale* • claf – *sick person* • 'toes ganddi ddim = does ganddi hi ddim – *she has no* • breuddwyd – *dream*
gobeithion – hopes • sêt reit glyd – *a quite comfortable seat*

Rebal wîcend

Mae'n cyrraedd y swyddfa yn gynnar bob bore
yn cario ei frîff-ces *executive* bach
"Bore da Mr Eliot" a "diolch yn fawr Rachel"
"a cofiwch dim siwgr, trio cadw yn iach"
ac mae'n eistedd fel sowldiwr o flaen ei brosesydd
a phob pin a phapur a ffeil yn eu lle
ac am bump mae 'nôl tu ôl i lyw'r BMW
yn gyrru am adre ar gyrion y dre

bob nos wrth droi'r goriad mae'n gweiddi "Dwi adre"
a "sut ddiwrnod ge'st ti?" a "be sy 'na i de?"
ac ar garreg yr aelwyd mae'r slipars yn c'nesu
ac arogl cartref yn llenwi y lle
ond ar nos Wenar daw adre a hongian ei siwt
a newid i'r hen denims cul
hongian modrwyau drwy'r tyllau'n ei glustiau
a chuddio y rasal tan yn hwyr ar nos Sul

a dyna chi o yn rebal wîcend go iawn
hefo'i stic-on tatŵ a'i dun baco herbal yn llawn
rebal wîcend o'i gorun i'w draed
ac ysbryd gwrthryfel yn berwi 'mhob diferyn o waed

ac ar bnawn Sadwrn mewn denims a lledar
crys T heb lewys a'i wallt o yn saim
mae'n mynd draw i'r dafarn i siarad â'r rocyrs
i yfed Jack Daniels yn lle lagyr an laim
ar ôl yfed digon mae'r gitar yn dod allan
ac mae o'n canu y blŵs a thrio swnio yn ddu
sôn am drallodion genod ysgol yn disgwyl
mae o'n teimlo yn dderyn ac yn ymddwyn fel ci

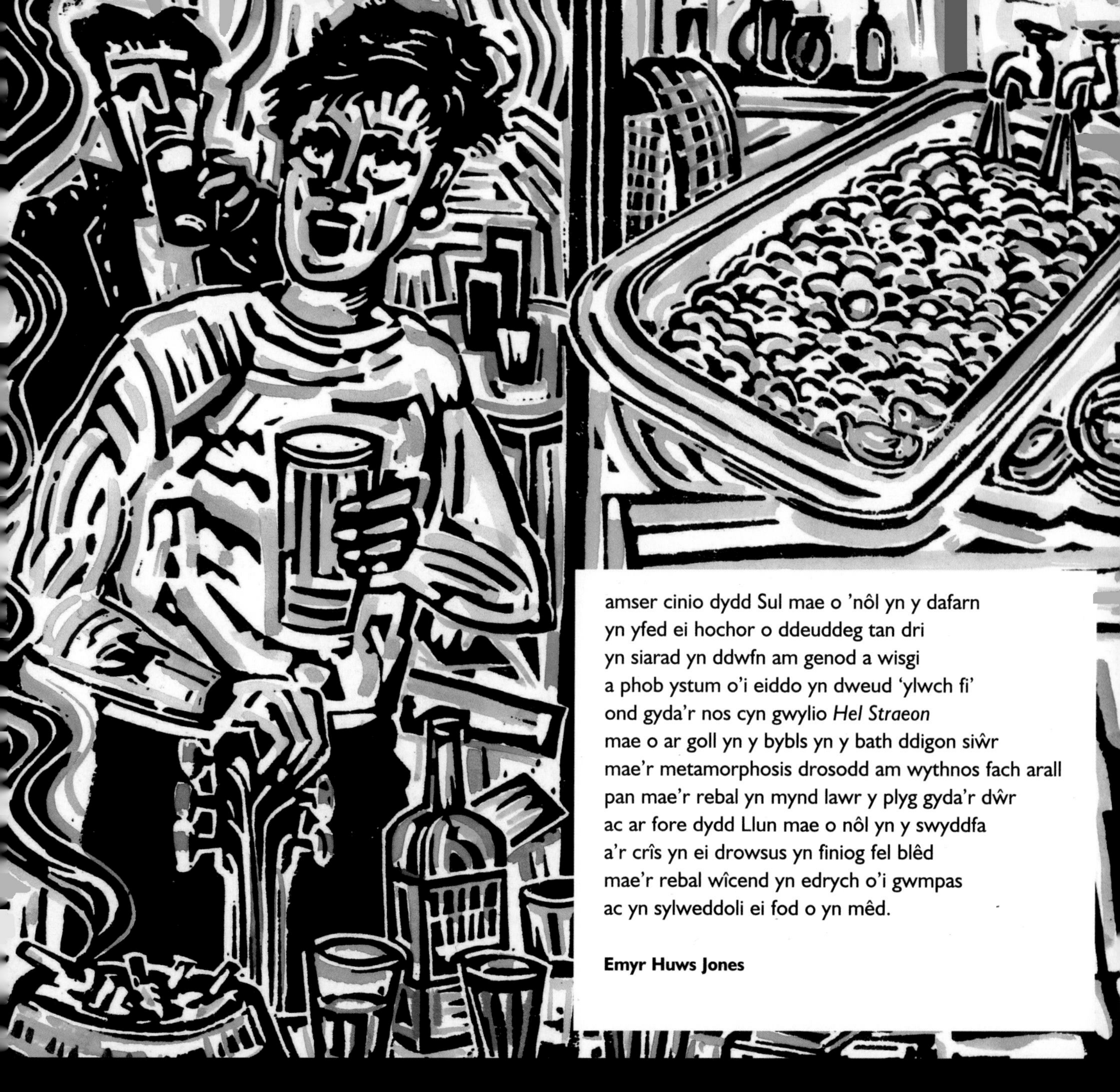

amser cinio dydd Sul mae o ’nôl yn y dafarn
yn yfed ei hochor o ddeuddeg tan dri
yn siarad yn ddwfn am genod a wisgi
a phob ystum o’i eiddo yn dweud ‘ylwch fi’
ond gyda’r nos cyn gwylio *Hel Straeon*
mae o ar goll yn y bybls yn y bath ddigon siŵr
mae’r metamorphosis drosodd am wythnos fach arall
pan mae’r rebal yn mynd lawr y plyg gyda’r dŵr
ac ar fore dydd Llun mae o nôl yn y swyddfa
a’r crîs yn ei drowsus yn finiog fel blêd
mae’r rebal wîcend yn edrych o’i gwmpas
ac yn sylweddoli ei fod o yn mêd.

Emyr Huws Jones

llewys – *sleeves* • saim – *grease* • trallodion – *troubles* • yn disgwyl – *expecting* • ymddwyn – *to behave* • yn yfed ei hochor – *knocking them back*
pob ystum o’i eiddo – *each of his gestures* • ylwch fi – edrychwch arna i – *look at me* • miniog – *sharp* • sylweddoli – *to realise*

Ffurflenni

Mae'r byd yn llawn
ffurflenni,
yn llawn o godau
a rhifau
a rhaglenni cyfrifiadurol
a chyfrifianellau.
Ac ar ôl i ni lenwi ffurflen
fe gawn ni fyw
os yden ni wedi cofio gwneud
ffoto-copi
a'i ffeilio.

Annwyl pwy bynnag sy'n eu creu nhw
wnewch chi gofio
mai meddwl syml sydd gen i,
meddwl sy'n hoffi
gweld machlud haul y nos,
neu ei wên ar grisialau eira.
Dwi'n hoffi teimlo'r gwynt ar fy ngrudd
a bod yn rhydd
heb lenwi ffurflen B73Z.
Ocê?

Cyn hir mi ddaw
ffurflen i ofyn yn garedig
Ga i fynd i'r tŷ bach?
Ffurflen i ofyn
Ga i anadlu?
Honno fyddai'n handi.

Ond dw i am fod yn rebel
fel James Dean gynt.
Mae gen i 'achos',
Dw i am greu ffurflen newydd sbon
fyd-eang, ddi-ffiniau, gydwladol, anenwadol,
– ffurflen i ddileu
pob ffurflen arall.

Aled Lewis Evans

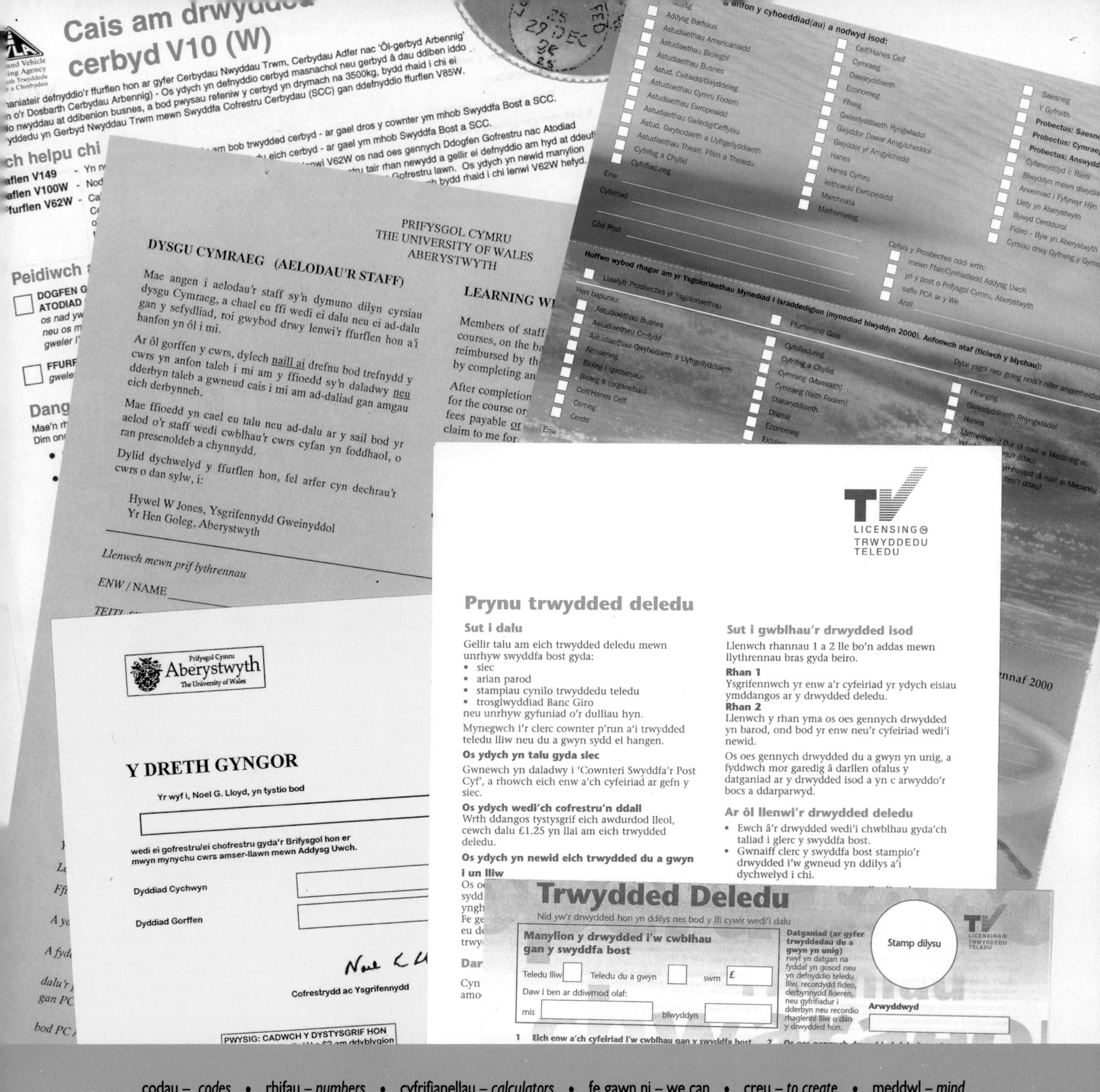

codau – *codes* • rhifau – *numbers* • cyfrifianellau – *calculators* • fe gawn ni – we can • creu – *to create* • meddwl – *mind*
machlud – *sunset* • crisialau – *chrystals* • grudd = boch – *cheek* • rhydd – *free* • mi ddaw ffurflen – *a form will come* • anadlu – *to breathe*
byd-eang – *worldwide* • di-ffiniau – *without boundaries* • cydwladol – *international* • anenwadol – *non-denominational* • dileu – *to do away with*

Sbwriel

Mae 'na sbwriel ar y bysiau
Mae 'na sbwriel ar y stryd
Ai chi sy'n gollwng sbwriel
O hyd ac o hyd?

Hen bapurau siocled
O flaen drysau'r tai
Peidiwch, peidiwch, peidiwch dweud
'Nid arna i mae'r bai'.

Pwy biau'r tuniau?
Pwy biau'r papur tships?
Pwy ar iard yr ysgol
Sy'n taflu bagiau crisps?

Mae 'na sbwriel ar y bysiau
Mae 'na sbwriel ar y stryd
Ai chi sy'n gollwng sbwriel
O hyd ac o hyd?

Zac Davies

gollwng – *to drop*
o hyd – *all the time*
nid arna i mae'r bai – *it's not my fault*
pwy biau?– *who owns? whose is?*
taflu – *to throw*

Penillion Ar Lan y Môr *

Ar lan y môr, mae tuniau rhydlyd
Ar lan y môr, mae sbwriel hefyd,
Ar lan y môr mae bagiau plastig,
Ac olew du ar garreg lithrig.

Ar lan y môr mae gwylan gelain
Fu'n hedfan ar adenydd buain:
Yn awr mae'n gorwedd ar y tywod,
Ymhlith y baw a'r holl ffieidd-dod.

Mihangel Morgan

* Ewch i dudalen 112 i ddarllen y gerdd draddodiadol Ar lan y môr.

rhydlyd – *rusty*
llithrig – *slippery*
gwylan gelain – *a seagull corpse*
fu'n hedfan – *that flew*
adenydd – *wings*
buain – *fast*
ymhlith – *among*
baw – *dirt*
ffieidd-dod – *foulness*

Deg o elyrch gwynion

Deg o elyrch gwynion
Yn hwylio wrth eu nyth
Yn ymyl ffatri fudur;
Bu farw dau yn syth.

Wyth o elyrch gwynion
Yn stelcian draw yn Stoke;
Bu farw dau rôl llyncu
Gwydr o botel Coke.

Chwech o elyrch gwynion
Ddaeth draw i Fferm y Cwm;
Dau arall a fu farw
Rôl bwyta pelets plwm.

Pedwar alarch perffaith
Mor wyn ag eira'r ddôl
Yn croesi'r draffordd docsig
A nawr – mae dau ar ôl.

Dau o elyrch gwynion
A oedd yn 'Adar Prin'
Yn bwyta gwenwyn llygod
A'r ddau a drodd yn ddim.

Dim un, ond pwy sy'n malio?
A be 'di'r ots gan hyn
Nad ydy'r blincin elyrch
Yn nofio ar y llyn?

Robin Llwyd ab Owain

elyrch – *swans* • gwynion – *white* • hwylio – to *sail* • nyth – *nest* • budur = budr – *dirty* • bu farw – *died* • syth – *straight* • stelcian – *to lurk, hang around*
rôl = ar ôl – *after* • plwm – *lead* • dôl – *meadow* • traffordd – *motorway* • adar prin – *rare birds* • gwenwyn llygod – *rat poison*
trodd – *turned* • malio – *to care* • gan hyn – *because of this*

Hawl?

Pwy roddodd yr hawl
i ddyn lofruddio anifail am sbort?

Pwy roddodd yr hawl
i ddyn gaethiwo anifeiliaid
er ei bleser ei hun?

Pwy roddodd yr hawl
i ddyn ddifetha dyffrynnoedd hardd
a chodi anghenfilod concrit
yn eu lle?

Pwy roddodd yr hawl
i ni lygru'r tir a'r môr a'r awyr
â'n budreddi ni?

Pwy roddodd yr hawl
i ddyn gaethiwo a llofruddio'i frawd
am yr hyn mae'n ei gredu?

Pwy roddodd yr hawl
i ddyn gwyn gaethiwo, casáu
ac arteithio'r dyn du
oherwydd lliw ei groen?

Pwy roddodd yr hawl
i ddyn edrych ar ferch
a'i bychanu hi?

Ac rwy'n dal i ofyn…

PWY roddodd yr hawl?

Gwilym Morus

hawl – *right* • llofruddio – *to murder* • caethiwo – *to keep captive* • difetha – *to destroy* • dyffrynnoedd – *valleys*
anghenfilod – *monsters* • llygru – *to pollute* • â'n – *with our* • budreddi – *filth* • yr hyn – *what* • arteithio – *to torture* • bychanu – *to belittle*

Y mwnci

Llygaid llosg ar dân,
Effaith ddrewllyd sebon gwallt melys.
Ei bawen grynedig yn dangos ofn,
Y cotiau gwyn
Yn ceisio bod yn garedig.

Ymddangos fel clown
Yn gwisgo'r colur drud
Sy'n cosi ei wyneb trist.

Rhoi mwythau a maldod
A'i roi yn y cawell gorau
Cyn rhoi pigiad iddo
Fel gwenyn gwyllt.

Yn teimlo'n sâl, swp sâl,
Yn wan, yn methu â symud bron.

Sŵn sgrech
Yn gweiddi mewn poen.

Y cotiau gwyn caredig
Yn ei ddefnyddio
Fel peiriant arbrofi
Er mwyn elw
I'r cwmni colur.

Gerallt Lyall

llosg – *burning* • effaith ddrewllyd – *the stinking effect* • pawen – *paw* • crynedig – *shivering, shaking* • ymddangos – *to appear*
colur – *make-up* • cosi – *to itch* • rhoi mwythau / maldod – *to cuddle* • cawell – *basket, cage* • pigiad – *injection*
gwenyn – *bees* • arbrofi – *to test* • elw – *profit*

Pres y palmant

Pres, pres,
Fel aur,
Pedwar darn punt
Cryf, crwn,
Fel aur yn fy llaw.

Dyma'r allweddi
I ddrws *Star Wars*
Yn sinema'r dre.
Pedwar darn am docyn,
Pedair allwedd i agor y drws.

Ond pwy ydy hwn
Ar y palmant oer?
Y llygaid cryf, crwn,
Yn wag heno
Fel y nos.

"*Big Issue*, syr? Dim ond punt..."

Dim ond punt? Ond dw i eisiau pob punt
Am docyn i'r sêr!
Star Wars neu'r *Big Issue*?
Fi – neu fe?

Cerdded adre, *Big Issue* yn fy llaw.

Ond, heno, fydd y palmant ddim mor oer.

Robat Powell

crwn – *round*
aur – *gold*
allweddi – *keys*
gwag – *empty*

Cartrefol

Mae o'n cael
ei *Big Issue*
bob wythnos
drwy'r post.

Yn syth
i'w gartref.

Glyn Evans

yn syth – *directly, straight*

Y bocs

Hen focs Kit Kat
ar stepan drws
tu allan i Kwik Save
a chwilt wedi rhwygo.
Tŷ pwy ydi hwn?

Mae o'n edrych trwy ei falaclafa du.
Mae o'n gweld
  olwynion troli llawn bwyd.
Mae o'n clywed
  punnoedd yn tincian
  mewn pocedi sy'n pasio.
Mae o'n ogleuo
  chips neu gyrri
  twrci a bara ffresh.

Pasio mae'r
bobl dew sy wedi bwyta gormod
A'r bobl grand.

"Dim ond bocs sydd gen i...

Geiriau sbeitlyd yn bownsio ar fy nghlustiau ac yn fy nghalon
    dim ond am fy mod i'n
    byw mewn bocs."

Rosie Haywood

wedi rhwygo – *torn*
olwynion – *wheels*
ogleuo = arogli – *to smell*
sy wedi bwyta gormod – *who have eaten too much*
geiriau sbeitlyd – *spiteful words*
dim ond am fy mod... – *only because I...*

Euogrwydd

Euogrwydd ydy
gwario arian cinio ar sigaréts
a dweud wrth Mam
bod y cig yn neis
a'r pwdin yn flasus.

Euogrwydd ydy
rhechain yn ddistaw yn y wers
a rhoi'r bai ar Ryan
o bawb.

Euogrwydd ydy
mynd i'r disgo
efo Siân
a dweud wrth Mair
bod Mam yn sâl
a bod rhaid i mi warchod
fy chwaer fach.

Euogrwydd ydy
siarad Saesneg efo Nain
a gwenu ar ei phoen
tu ôl i'w chefn.

Euogrwydd ydy
brifo'r gath drws nesa
a thaeru wrth y plismon
mai ei ffeindio wedi marw
wnes i.

Euogrwydd ydy
dweud wrth bawb
bod Dad yn dod yn ôl
a bod Mam
a fi
yn hapus.

Gwynne Williams

euogrwydd – *guilt*
gwario – *to spend (money)*
rhechain – *to fart*
rhoi'r bai ar – *to blame*
gwarchod – *to babysit*
taeru – *to insist*

Byw fory

Isho heddiw,
isho rŵan,
wrth stemio ffenest
Owen Owen.

Isho cyllell,
isho fforc,
isho peth'na
i dynnu corc.

Isho llun,
isho rwbath i'w ddal
isho peth arall
i'w ddal ar y wal.

Isho handbag,
isho het,
isho'r thing'na
i ddal syrfiét.

Isho Coco Pops
a Shreded Whît,
isho be ti'n galw
jyst fel trît.

Isho si-bŵts,
isho Si-Di,
isho brêc bach
bai ddy sî.

Isho Cantonîs
têc awê,
isho îsi
wê of pê.

Dwi'n teimlo'n well,
teimlo'n ffantastig,
yn llyncu 'mil
efo aspirin blastig.

Bachu 'mag
a sgrialu;
byw fory,
byw talu.

Myrddin ap Dafydd

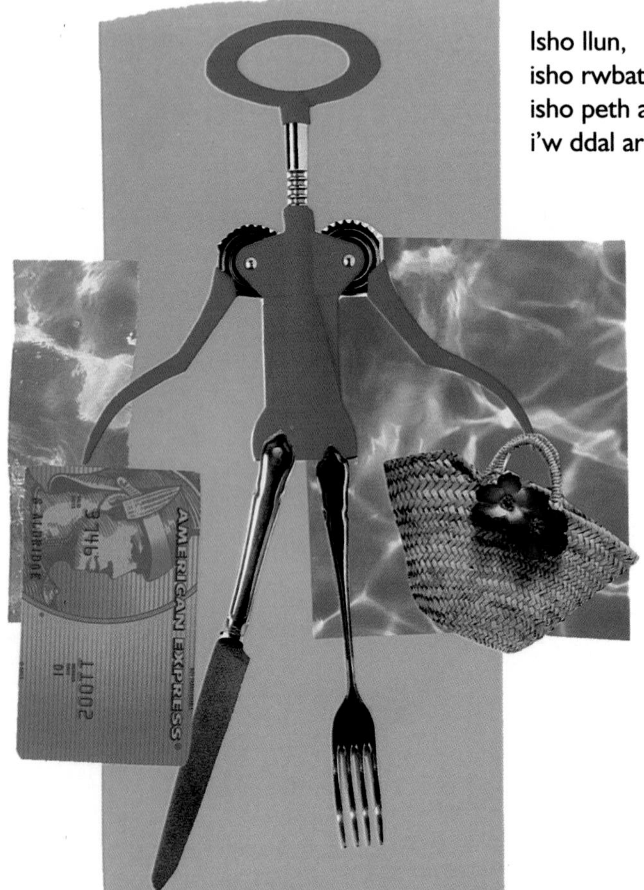

isho = eisiau – *to want*
stemio – *to steam up*
tynnu – *to pull*
llyncu 'mil – *to swallow my bill*
bachu – *to grab*
sgrialu – *to scarper*

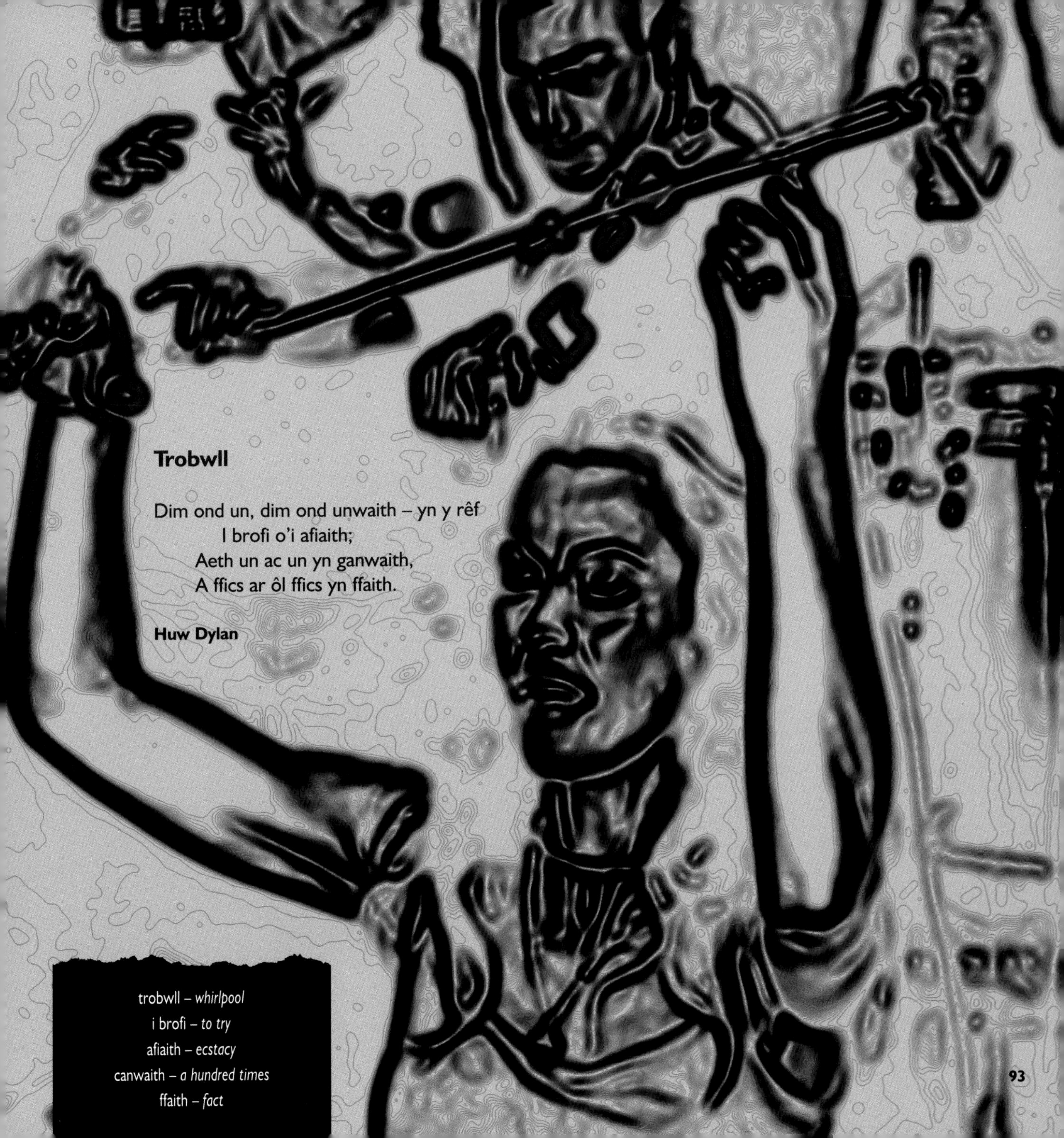

Trobwll

Dim ond un, dim ond unwaith – yn y rêf
I brofi o'i afiaith;
Aeth un ac un yn ganwaith,
A ffics ar ôl ffics yn ffaith.

Huw Dylan

trobwll – *whirlpool*
i brofi – *to try*
afiaith – *ecstacy*
canwaith – *a hundred times*
ffaith – *fact*

Melinau

Neb yn gwylio
Neb yn gwrando,
Distaw y daethant
annisgwyl –
Dros ben y bryn.

Heb siw na miw,
Dim adar yn canu,
Na chwningod yn chwarae,
Na defaid yn pori
Ar lan yr afon.

Y fyddin haearn yn teyrnasu,
Brenhinoedd y bryn yn sathru'r caeau
Dan draed
Dideimlad, diysbryd,
Di-baid.

Breichiau du'n troelli'n lloerig,
Herio'r gwynt â sgrech eu grym.
Gwawr Armagedon,
Marchogion modern
Yn disgwyl eu Don Quixote.

Lynn Phillips

daethant – *they came* • annisgwyl – *unexpected* • heb siw na miw – *without a sound* • pori – *to graze* • byddin – *army* • haearn – *iron*
teyrnasu – *to rule* • brenhinoedd – *kings* • sathru – *to trample* • dideimlad – *unfeeling* • diysbryd – *without spirit* • di-baid – *ceaselessly*

Dryswch Indiad Jo

Gwisgo'n ffansi,
Het, cot goch;
Yfed sieri,
Gweiddi'n groch.

Indiad Jo
Yn rhyfeddu;
Tallyho!
Mae'r corn yn canu.

Dros y gwrychoedd
Dros y llwyn,
Heibio'r ffosydd
Dringo'r twyn.

Rhwygo'r cadno
Ganol dydd,
Yna 'mlaen
I ladd yr hydd.

Canu corn!
Wel, dyna sbri,
Troi yn ôl
Mae dyn a chi.

Yn y plasty
Mae 'na barti,
Llongyfarchion
A chwmpeini.

Indiad hela
Am fod prinder.
Rhain yn hela
Am y pleser.

Indiad Jo
Yn crafu copa,
"Rhaid hela i fyw
Nid byw i hela!"

Gwyn Morgan

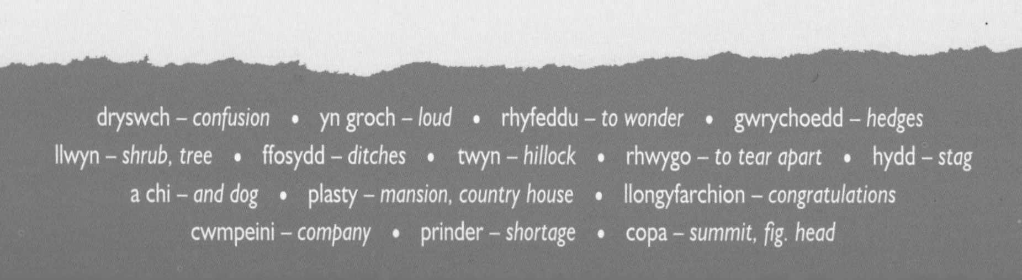

dryswch – *confusion* • yn groch – *loud* • rhyfeddu – *to wonder* • gwrychoedd – *hedges*
llwyn – *shrub, tree* • ffosydd – *ditches* • twyn – *hillock* • rhwygo – *to tear apart* • hydd – *stag*
a chi – *and dog* • plasty – *mansion, country house* • llongyfarchion – *congratulations*
cwmpeini – *company* • prinder – *shortage* • copa – *summit, fig. head*

Alla' i gael?

Alla' i gael punt i mofyn fideo?
Alla' i gael arian am sosej a chips?
Alla' i gael aros lan ychydig eto?

Alla' i gael mascara i liwio fy aeliau?
Alla' i gael dwy bunt tri deg i fynd at y barbwr?
Alla' i gael pâr newydd lliwgar o gareiau?

Alla' i gael sgyrt ddu gwta i'r disgo?
Alla' i gael pumpunt neu fwy at y petrol?
Alla' i gael McChicken Sandwich Meal i ginio?

Alla' i gael Atlantic 252 ar y radio?
Alla' i gael y rheolwr teledu nawr 'te?
Alla' i gael tiwb o Clearasil pronto?

Gelli! Alla' i gael llonydd am damed nawr plis!

Einir Jones

alla' i gael? – *can I have?*
mofyn = nôl – *to fetch*
aros lan – *to stay up*
careiau – *laces*
cwta = byr – *short*
rheolwr teledu – *remote control*
gelli – *yes you can*
llonydd – *peace and quiet*
am damed = am ychydig – *for a while*

Heno, heno, hen blant bach

Heno, heno, hen blant bach,
Heno, heno, hen blant bach,
Dime, dime, dime hen blant bach,
Dime, dime, dime hen blant bach.

Gwely, gwely, hen blant bach,
Gwely, gwely, hen blant bach,
Dime, dime, dime hen blant bach,
Dime, dime, dime hen blant bach.

Cysgu, cysgu, hen blant bach,
Cysgu, cysgu, hen blant bach,
Dime, dime, dime hen blant bach,
Dime, dime, dime hen blant bach.

Fory, fory, hen blant bach,
Fory, fory, hen blant bach,
Dime, dime, dime hen blant bach,
Dime, dime, dime hen blant bach.

Traddodiadol

Heno, heno, hen blant bach
Heno, heno dau gwb
Dau gwb deg oed,
Heno yn curo,
Curo ar ddôr;
A hen wraig fechan fach,
Fusgrell yn stryffaglio
Ar hyd lobi i'w hagor.

Heno, heno dau gwb
Dau gwb deg oed,
Yn gwthio, yn ergydio ei dôr
I'w hwyneb nes bod
Ei sbectol yn grinjian i'w phen
A hithau, heno, yn cwympo –
Yr hen wraig fechan fach.

Heno, heno dau gwb
Dau gwb deg oed,
Yn strachu trwy ei hystafelloedd,
Yn sgrialu trwy ei phethau,
Heno – am ddeuddeg punt.

Heno, heno dau gwb
Dau gwb deg oed,
Yn prynu Smarties, Smarties
Hen blant bach
Bwyta bwyta Smarties

Hen blant bach;
Yna'n cysgu, cysgu
Hen blant bach –
A hynny'n dawel heno,
Heno, hen blant bach.

Gwyn Thomas

cwb – *young lad* • curo – *to knock* • dôr = *drws* • musgrell – *frail* • stryffaglio – *to struggle*
gwthio – *to push* • ergydio – *to knock* • grinjian – *to press* • strachu – *to make a mess*
sgrialu – *to scatter*

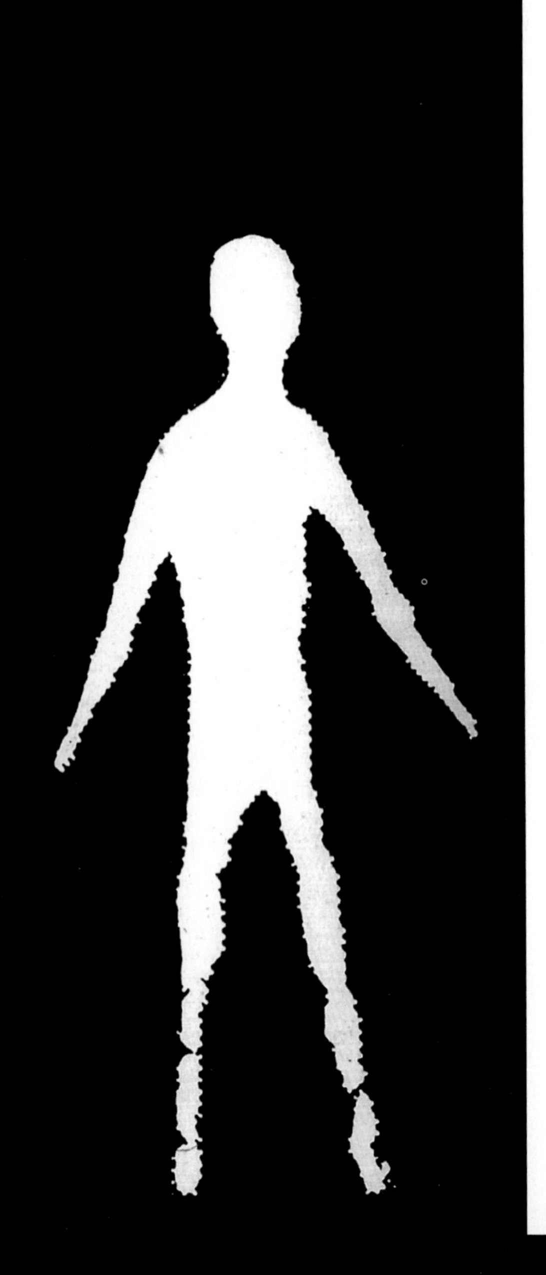

Gwareiddiad

Rhowch i mi
rhowch i mi
rhowch i mi

drywsus *Benetton* a siaced *Next*
esgidiau *Nike* ac oriawr *Swatch*
garej i'r *Golf* a dreif i'r *Peugeot*
Aga i'r prydau Indiaidd llysieuol
rhewgell i'r *Flora* a'r moron organig
seler i'r *Frascati* a bar i'r *Perrier*
Amstrad i'r stydi a chadeiriau *Habitat*
bwrdd coffi i *Cosmo* a *Trivial Pursuits*
llyfrgell i *Planet, New Statesman* a *Lol*
lolfa i *Dinas* ac *Eastenders*
oriel i'r Kyffin a barddoniaeth R.S.
llyfrgell i'r *Guardian* a'r *Observer*

y cwbl sy'n *vogue*
yn *raison d'être*
cyn dirywio'n *blasé*

i lenwi fy nyddiau
dilladu fy nghnawd

Draw, draw'n Ethiopia
ac anialdir Swdan
sypiau esgyrnog
sy'n marw.

Gerwyn Williams

vareiddiad – *civilization* • oriawr – *a watch* • prydau – *meals* • rhewgell – *freezer* • oriel – *gallery* • barddoniaeth – *poetry* • cwbl – *all*
raison d'être – *the reason for existence* • dirywio – *to degenerate* • *blasé* – *indifferent* • cnawd – *flesh* • anialdir – *wilderness*
sypiau esgyrnog – *emaciated bodies*

Guardian

Welsh Interna

COSMOPOLITAN

Twyll

Darllen y silffoedd:
siwgwr coch o Jamaica
gwenith o La Plata
afalau pîn o Malaysia
datys o Arabia
cnau o'r Himalaya
coco o Ghana
india corn o Guatemala,
– maen nhw'n ein bwydo ni.

Darllen y papurau newydd:
arian at anrhefn Rwanda
at newyn yn Ethiopia
at ddyfrio Botswana
at ysgolion Bolifia
at dlodion daeargryn yn India
– dan ni'n eu bwydo nhw.

Cil-dwrn ein cydymdeimlad,
hatling ein help llaw
at dractorau,
at helynt yr holl dymhorau,
ac at logau banc y ni a'r Ianc.

Darllen rhwng y silffoedd:
reis o grochanau gwag Cambodia,
te gan noethion Sri Lanka,
coffi o shantis Colombia,
– maen nhw'n ein bwydo ni,
dan ni'n eu bwyta nhw.

Myrddin ap Dafydd

gwenith – *wheat* • india corn – *maize* • anrhefn – *disorder, chaos* • newyn – *famine* • dyfrio – *to irrigate*
tlodion daeargryn – *the poor from the earthquake* • cil-dwrn – *tip, small sum of money* • cydymdeimlad – *sympathy* • hatling – *small coin*
llogau banc – *bank interest* • crochanau – *cauldrons* • noethion – *naked people*

Teg?

Ges i rhain ar y Sêl.
Gostion nhw dri deg pump yn lle saith deg,
ar y cyfan wedwn i, bargen deg.

Ges i saith deg am eu gwneud.
Rwy'n gwnïo cannoedd o'r rhain bob wythnos hir.
Tri deg pump ceiniog am bob Nike a dweud y gwir.

Ond yma
yn Indonesia
bargen deg oedd cael y job i ddechra'.

Einir Jones

teg – *fair*
ar y cyfan – *on the whole*
wedwn i = ddywedwn i – *I would say*
gwnïo – *to stitch*

P.G.

Dyna neis yw paned o de,
P.G., Typhoo, Glengettie,
A'r fenyw fach sy'n pigo'r dail
neu'r Chimps yn prysur werthu.

Dyna neis cael dished fach ffein,
anghofio fy ngofalon.
Llanw'r tebot at y clawr
ac yfed eli'r galon.

Dyna neis fyddai cyflog teg
meddai'r wraig sydd yn prysur bigo
a chario'r basgedi ar ei chefn
rhwng y llwyni gwyrdd, a llithro.

Dyna neis fyddai byd lle mae
pob anghyfiawnder heibio.
Hyd hynny, rhaid cael dished fach
i'n helpu i anghofio.

Einir Jones

menyw – *woman* • prysur werthu – *busy selling* • dished = paned – *cuppa* • ffein = blasus – *tasty* • gofalon – *cares*
at y clawr – *to the brim* • eli – *ointment* • cyflog teg – *fair wage* • prysur bigo – *busy picking* • llithro – *to slip*
anghyfiawnder – *injustice* • heibio – *past* • hyd hynny – *until then*

bylchau – *gaps*
gormes – *oppression*
llwgu – *starving*
baw – *dirt*
cydymdeimlo – *to sympathise*
estyn fy llaw – *to reach out my hand*

Oes rhaid i mi?

Oes rhaid i mi
Ddarllen y darllen a deall
Ac ateb y cwestiynau
Ar gyfer yr ail wers yfory?

Oes rhaid i mi
Wrando a deall y sgwrsio
A llenwi'r holl fylchau
Ar gyfer gwers pedwar yfory?

Oes rhaid i mi
Ddarllen a chlywed yr hanes
Am grio a gormes
Yn Chechnya draw?

Oes rhaid i mi wrando
Ar fwletin radio
Am blant bach digartref
Yn llwgu yng nghanol y baw?

Mae'n rhaid i mi wrando
Mae'n rhaid i mi gofio
Ac wrth gydymdeimlo
Mae'n rhaid i mi estyn fy llaw.

Trystan Dafydd

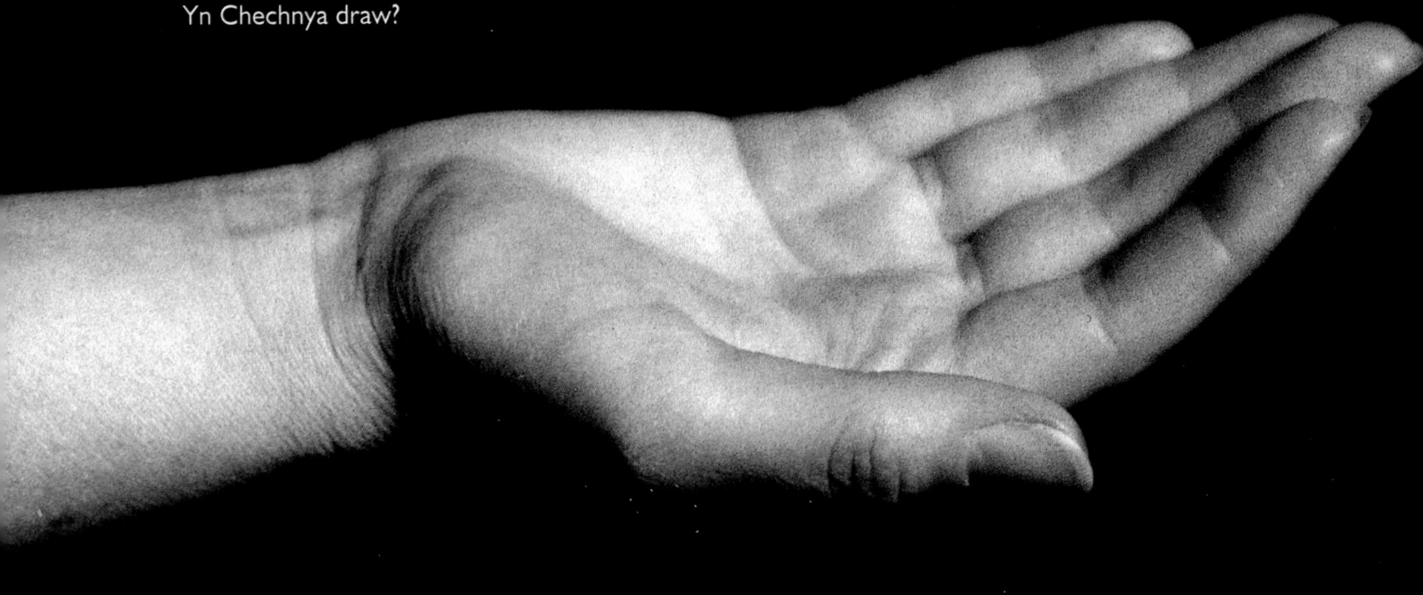

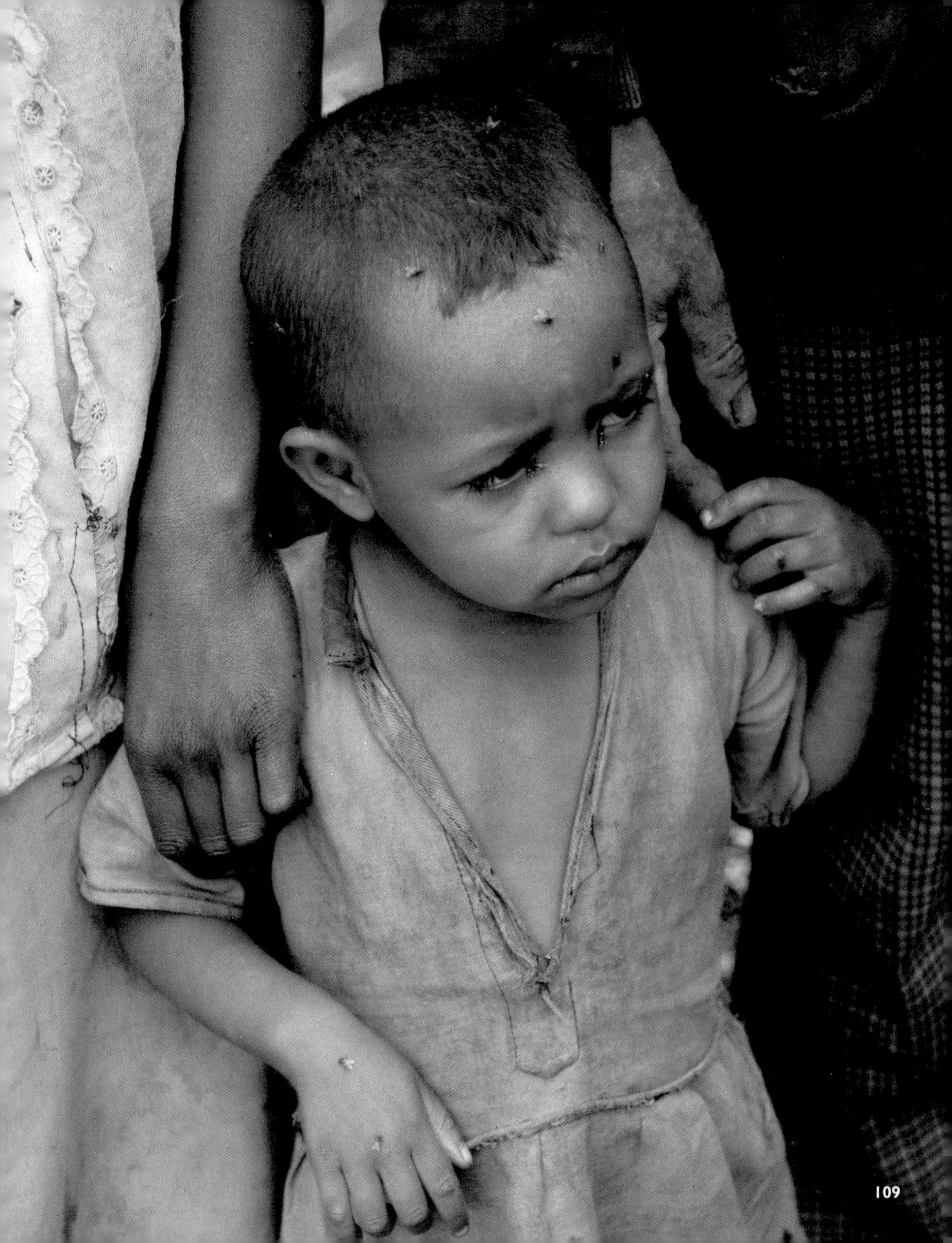

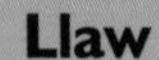

Llaw

Rwyf finnau'n gallu estyn llaw
I gwrdd ag unrhyw un,
Ac os oes pensil ynddi hi
Rwy'n gallu tynnu llun.

Rwy'n gallu dal yn dynn i'r sêt
Wrth fynd ar reid mewn ffair,
Ac wrth ei chodi'n dweud 'ffarwél'
Heb orfod siarad gair.

Rwy'n gallu canu'r nodau i gyd
Ar biano, *doh ray mi*,
Rwy'n gallu anfon neges fach
I ddweud, 'Dy garu di'.

Rwy'n gallu cario baich fy mrawd
A mynd i'r maes i hau,
Ond 'all fy nwylo wneud dim byd
Os yw fy nwrn ar gau.

Tudur Dylan Jones

estyn llaw – *to extend a hand, to reach out* • cwrdd â – *to touch* • tynnu llun – *to draw* • yn dynn – *tightly* • sêt – *seat* • gorfod – *to have to*
nodau – *notes* • baich – *burden* • maes – *field* • hau – *to sow* • 'all… wneud dim byd – *... can't do anything* • dwrn – *fist*

Ar lan y môr *

Ar lan y môr mae rhosys cochion;
Ar lan y môr mae lilis gwynion;
Ar lan y môr mae 'nghariad inne,
Yn cysgu'r nos a chodi'r bore.

Traddodiadol

* Ewch i dudalen 81 i ddarllen y gerdd fodern Penillion Ar Lan y Môr.

rhosys cochion – *red roses*
gwynion – *white*
inne = innau

Snog

Gwnaiff Rhodri roi yffach o snog
i rywun neu rywbeth mewn ffrog,
sdim ots os yw'n salw,
neu wedi hen farw,
aiff Rhodri am rywbeth... ond Gog!

Gwion Hallam

gwnaiff Rhodri... – *Rhodri will...*
yffach o snog – *a heck of a snog*
salw = hyll – *ugly*
wedi hen farw – *long dead*
aiff Rhodri am... – *Rhodri will go for...*
Gog = person o'r Gogledd

Dim ond serch

Dim ond gwên
o ganol golau,
gwefus swil yn rhoi
gwahoddiad clir
a neb yn codi llais –

ond gwelais i,
yn ddall i bopeth arall.

Dim ond sws
ar lawr y disgo,
croen yn cwrdd
heb fawr o sŵn
a'r gân yn curo ymlaen –

ond teimlais i
y byd yn peidio â throi.

Dim ond llaw
yn gwasgu'n dawel,
dwylo'n cau'n
addewid saff
wrth gerdded am y drws –

ond clywais i
fy ngwaed yn gweiddi'n goch.

Dim ond ddoe
a'n cyrff yn rhannu
mwy na sws,
yn addo'r byd
a'r sêr yn gwrando'n swil –

a yw dy waed
yn cofio'r nos fel fi?

Gwion Hallam

serch – *love* • gwefus – *lip* • swil – *shy* • gwahoddiad – *invitation* • dall – *blind* • sws – *a kiss* • croen – *skin* • cwrdd = cyfarfod – *to meet*
gwasgu – *to press* • addewid – *promise* • cyrff – *bodies* • addo – *to promise* • gwaed – *blood*

I ti, 'to

Rwy'n ddarn o glai…
Tro fi;

Rwy'n storom…
Dofa fi

Rwy'n gerdd…
Sgrifenna fi;

Rwy'n wên…
Gwena fi;

Rwy'n filltir...
Cerdda fi;

Rwy'n ddeigryn…
Wyla fi;

Rwy'n dy garu...
Cara fi;

Rwy'n wallgo…
Clo fi lan…

Dewi Pws

'to = eto – *again*
darn o glai – *a piece of clay*
dofa fi –*tame me*
deigryn – *tear*
wyla fi – *cry me*
gwallgo – *mad*
clo fi lan = clo fi i fyny – *lock me up*

Cariad

Peth rhyfedd yw bod yn garedig;
   peth rhyfedd yw bod yn hael –
mwya i gyd o gariad ti'n roi,
   mwya i gyd ti'n gael.

Mae'n groes i holl reolau ffiseg,
   mae'n drysu deddfau'r byd –
waeth faint o gariad a roddi di,
   cei fwy i'w roi o hyd.

Mae'n cynyddu o gael ei afradu
   mae'n tyfu o'i wario'n rhydd,
a mwya i gyd ti'n talu mas,
   mwya ohono sydd.

Grahame Davies

hael – *generous* • mwya i gyd – *the more…*
yn groes i – *against* • drysu – *to confuse* • deddfau – *laws*
waeth faint – *no matter how much*
a roddi di – *(that) you give* • cynyddu – *to increase*
afradu, gwario'n rhydd – *to spend freely*

Yr un caled

Rwy'n dal a golygus,
Yn gwneud gwaith cymuned,
Ar lwybr i uffern,
Y fi 'di'r un caled.

Crys T yn y gaeaf,
A llaw yn fy mhoced,
Tatŵ a chlustdlysau,
Y fi 'di'r un caled.

Peryglon? Beth yffarn?
Dw i'n fos ar y giwed,
Y fi 'di James Dean,
Y fi 'di'r un caled.

Dw i'n gyrru beic modur
Mor gyflym â bwled,
Y fi 'di'r cyflymaf –
Y fi 'di'r un caled.

Yn ifanc ac enbyd,
Cyn llyfned â melfed,
Rwy'n wyllt ac yn lletchwith,
Y fi 'di'r un caled.

Ond yna fe'i gwelaf,
Mae hithau'n reit heini,
Mae 'nghalon yn pwnio
A'm coesau fel jeli.

'Di chwalu mae'r ddelwedd,
Fe fwriodd hi'r targed,
Mewn cariad dw inna'
Nid fi 'di'r un caled.

Gwyn Morgan

golygus – *handsome* • gwaith cymuned – *community work* • uffern – *hell* • clustdlysau – *earrings* • beth yffarn? – *what the heck?* • ciwed – *gang*
enbyd – *rough* • llyfned – *as smooth as* • lletchwith – *awkward* • fe'i gwelaf – *I see her* • heini – *fit, shapely* • pwnio – *to pound*
'di chwalu mae'r ddelwedd – *the image has been shattered* • fe fwriodd hi'r targed – *she hit the target*

y wers

roeddwn i,
roedd hi
ac roeddem ni –
dyna'r amser amherffaith.

mi rydw i,
rwyt ti
ac rydan ni –
amser presennol ydi hwn,
sy'n mynegi'r modd perffaith.

Steve Eaves

amser amherffaith – *the imperfect tense*
presennol – *present*
sy'n mynegi – *which expresses*
modd perffaith – *the perfect mode*

Cariad Oes

Â'r ffordd
yr oedd hi'n dal ei sigarét
y syrthiodd o
mewn cariad
yr holl flynyddoedd byr yn ôl.

Efo steil –
yr wythfed ran
o fodfedd
o ben ei bysedd hirfain
tra'n chwythu'r mwg
drwy gusan gwefus chwibanog
yn
llinell
fain
lwyd
a flodeuai yn
gwmwl o steil
yn yr awyr o'i
blaen.

Ei choesau hirion
wedi eu croesi'n
secsi
a'r sigarét
yn hoelen wen hudolus
gyda modrwy goch
cusan ei minlliw
yn briod â'r ffiltar brown.

Dyna'r darlun
a wêl heddiw
wrth ollwng ei lludw i'r pridd
a hithau
heb weld ei deugain oed.

Glyn Evans

syrthio mewn cariad **â** – *to fall in love* ***with*** • yr wythfed ran o fodfedd – *an eighth of an inch* • hirfain = hir + main – *long, slender*
gwefus chwibanog – *pursed, rounded lips* • a flodeuai – *which flowered* • hoelen – *nail* • hudolus – *enchanting* • minlliw – *lipstick*
yn briod â – *married to* • a wêl – *which he sees* • lludw – *ashes* • pridd – *earth* • deugain – *forty*

A gymri di Gymru?

A gymri di'r byd
  A'i holl ryfeddodau,
Yr haul a'r sêr,
  Y pysgod a'r blodau?
A gymri di'r gwledydd
  O bob lliw a llun?
A gymri di Gymru –
  Dy wlad dy hun?

A gymri di'r bryniau
  A'r môr a'r afonydd,
Y trefi, a'r traethau
  Bychain, llonydd?
A gymri di'r bobol
  Gynhesa'n y byd?
A gymri di Gymru –
  A'i chymryd i gyd?

A gymri di'r cymoedd
  A'r siopau betio
A'r capeli gwag –
  A lanwan nhw eto?
A gymri di'r Steddfod
  A Stiniog, a'r glaw?
A gymri di Gymru
  Beth bynnag ddaw?

Robat Gruffudd

a gymri di? – *will you take / accept* • rhyfeddodau – *wonders*
gwledydd – *countries* • llonydd – *still, peaceful*
cynhesa – *warmest* • cymoedd – *valleys*
a lanwan nhw – *will they fill*
beth bynnag ddaw – *whatever happens*

CYMRU
AR
WERTH

Y Gymru Newydd

Cerdded yn rhywle roeddwn,
A'r nos yn rhewllyd, oer,
Mi welais wraig oedrannus
A'i hiraeth yn hŷn na'r lloer.

Edrychodd uwch y dibyn
Ar lanw'r môr yn troi –
A throdd ei llygaid hithau
I weld y nos yn ffoi.

Tynnodd ei brat a'i daflu,
Ciciodd ei chlocsiau pren,
Stripiodd ei lasie sidan
O dan y lleuad wen.

Wrth redeg drwy yr eithin
Taflodd ei gwallt i'r gwynt,
Taflodd ei ddoe a'i hechdoe
Wrth ddawnsio'n gynt a chynt.

Rhyw ail ieuenctid gafodd
Yn anrheg i'w fwynhau;
Roedd amser yn dadweindio
Wrth iddi fynd yn iau.

Cerdded i rywle roeddwn,
Cerdded heb wybod pam,
Nes gweld yn nrych yr heulwen
Mai 'Nghymru oedd, fy mam.

A chododd ei sgert ddenim
(Y ferch benchwiban ffôl)
Ac yn fy mreichiau – dawnsiodd
Heb edrych yn ei hôl,
Ac yn fy mreichiau – dawnsiodd
Y ferch benchwiban, ffôl.

Robin Llwyd ab Owain

oedrannus – *elderly* • hiraeth – *longing* • yn hŷn na'r lloer – *older than the moon* • dibyn – *cliff* • llanw'r môr – *tide* • ffoi – *to flee* • tynnu – *to take off*
brat – *apron* • clocsiau – *clogs* • stripio – *to take off* • lasie sidan – *silk laces* • eithin – *gorse* • ei ddoe a'i hechdoe – *her yesterday*
yn gynt a chynt – *faster and faster* • dadweindio – *to unwind* • iau – *younger* • drych – *mirror* • heulwen – *sun* • penchwiban – *flighty, light-headed*

Oherwydd

Oherwydd yr haul mae lliw a llun;
oherwydd y sêr dw i ar ddi-hun;
oherwydd y môr mae cyffro, ton –
oherwydd y mynydd mae copa, ffon.

Oherwydd y nant mae sibrwd bach;
oherwydd yr eira mae chwerthin iach;
oherwydd y gwynt mae dillad, dawns
oherwydd fy ngwely, caf gysgu siawns?

Oherwydd y mellt mae fflach ar ffyrdd;
oherwydd y goedwig mae dwylo gwyrdd;
oherwydd y glaw caf fwytho clawr –
oherwydd y nos mae syndod gwawr.

Oherwydd fy synhwyrau i gyd,
Mae imi ran yn hyn o fyd.

Gwyn Morgan

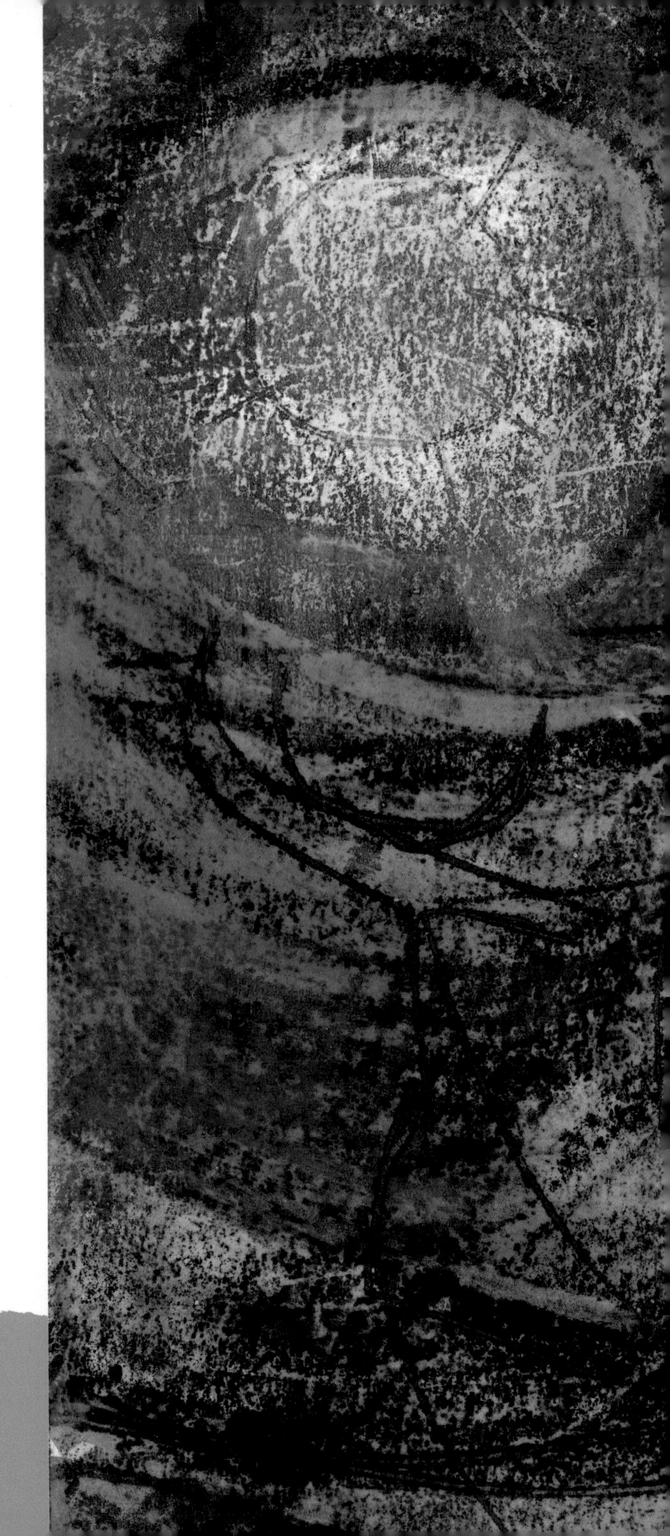

cyffro – *excitement* • ar ddi-hun = yn effro – *awake* • ton – *wave*
copa – *summit* • ffon – *stick* • sibrwd – *whispering* • siawns – *hopefully*
mellt – *lightning* • fflach – *flash* • ffyrdd – *roads*
mwytho clawr – *fig. to read a book* • synhwyrau – *senses*
mae imi ran – *I have a part* • hyn o fyd – *this world*

Broc môr, Porth Neigwl

Dim ond hen bêl
yng nghanol
broc,
cyllyll môr
a chregyn,
wedi'i phlygu
gan y môr
yn bob siâp dan haul.

Rŵan
gwefus las
ydi hi
neu geg
heb ddannedd.

Arogl halen
ac arogl gwymon
yn y bowlen rwber.
Swigod bach
yn dod ohoni.
Halen a thywod arni.

Pêl
ar ei phen ei hun
yn hiraethu
am gael ei chicio
a'i thaflu eto.

Gwenno Griffiths

broc môr – *driftwood and other rubbish*
wedi'i phlygu – *bent*
gwefus – *lip*
arogl – *smell*
gwymon – *seaweed*
swigod – *bubbles*
hiraethu am – *to long for*

CIDER

Lluniau mewn llun

Amdo gwyn yn gorchuddio'r ddaear
fel blawd perffaith
neu siwgwr eisin.

Neidr hir wedi difetha'r byd gwyn.

Hen goeden noeth
fel gwallt wedi britho,
neu hen law gwrach yn ymestyn allan.
Hen beth esgyrnog, unig, oer.

Wal gerrig sych,
fel cacen â siwgwr
wedi disgyn arni
neu dorth wen.

Cymylau llwyd-ddu yn ymestyn
dros yr awyr yn barod i fwrw eira eto.

Lluniau mewn llun.

Rosie Haywood

amdo – *shroud* • gorchuddio – *to cover* • neidr – *snake* • difetha – *to spoil*
noeth – *naked* • wedi britho – *turned gray* • gwrach – *witch*
ymestyn allan – *to reach out* • esgyrnog – *bony* • ymestyn – *to extend*

Mynegai

Cydnabyddiaeth

Lluniau

Anthony Evans – tud. 19, 43, 52/53, 62/63, 65, 77, 80, 90, 91, 124/125.

Elwyn Ioan – tud. 8, 10, 14, 20, 21, 23, 24, 25, 26, 27, 30, 31, 38, 39, 54, 60, 72, 73, 99, 113.

Ruth Jên – tud. 16/17, 22, 34/35, 61, 68, 71, 84/85, 92, 117, 118/119, 122, 123, 129.

Marian Delyth – tud. 9, 11, 13, 29, 32, 33, 36, 37, 40, 41, 44, 45, 51, 55, 57, 59, 64, 75, 81, 82/83, 88, 89, 93, 95, 103, 104, 106, 108, 111, 112, 115, 120, 127, 130.

Llyfrgell Genedlaethol Cymru – tud. 127, atgynhyrchwyd *Modryb Gwen* gan Hugh Hughes

Photolibrary Wales – tud. 15

Operation Christmas Child – tud. 47

Imperial War Museum – tud. 66, 67

British Union for the Abolition of Vivisection – tud. 87

Western Mail – tud. 97

E. Emrys Jones – tud. 132

T.R. Jones – tud. 50

W. Mitford Davies – tud. 100

Eleri Jones – tud. 101

Keith Morris – tud. 121

Tearfund / Jim Loring – tud. 105

Tearfund / Mike Webb – tud. 107

Tearfund / Jim Loring – tud. 109

Ysgol Gyfun Penweddig – tud. 29

Diolch yn fawr i'r beirdd am eu cydweithrediad. Diolch yn ogystal i'r canlynol, gan i rai cerddi ymddangos gyntaf yn eu cyhoeddiadau hwy:

Cyhoeddiadau Barddas, Cymorth Cristnogol, Cynnal, Eisteddfod Genedlaethol Cymru, Gwasg Carreg Gwalch, Gwasg Dinefwr, Gwasg Gee, Gwasg Gomer, Gwasg Gwynedd, Gwasg Pantycelyn, Sain, Uned Iaith Genedlaethol Cymru, Urdd Gobaith Cymru, Y Lolfa.

posteri *Poeth!*

Cyhoeddwyd pedwar poster maint A2 deniadol i gyd-fynd â'r gyfrol *Poeth!* Gellwch eu prynu mewn siopau llyfrau Cymraeg neu drwy'r Lolfa. Gwerthir pecyn o bedwar am £6.95, neu gallwch eu prynu yn unigol am £2.00.

Addurnwch eich ystafell, swyddfa neu ddosbarth gyda chelfwaith trawiadol a cherddi gwych Cymraeg.

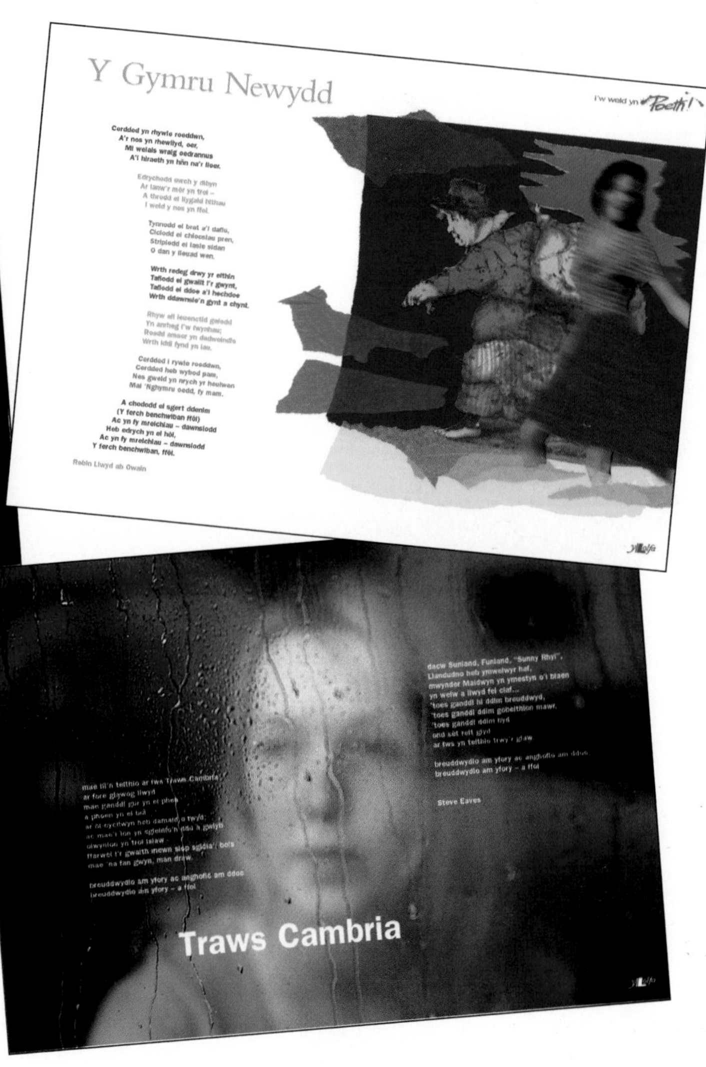

Y Lolfa Cyf., Talybont, Ceredigion SY24 5AP
e-bost ylolfa@ylolfa.com
www.ylolfa.com
ffôn +44 (0)1970 832 304
ffacs 832 782 *isdn* 832 813